강력한 숙명여대 인문계 논술

기출문제

저자 소개

저자는 경희대학교 대학원에서 글로벌경영학을 공부하고, 같은 대학의 대학원에서 교육경영최고위 과정도 수료했다. 대학에서는 경영학을 전공했으며, 연세대학교 교육대학원에서 교육경영최고위 과정도 수료했었다.

현재 대치투탑학원과 좋은성적학원을 운영 중이며, 대치쿰100과 위더스학원, 옹골찬학원에서 논술과 면접, 학생부관리를 지도하고 있다. 또한 수시와 정시, 고입 등의 입시컨설팅을 진행하며 입시현장에서 활약 중이다.

강력한 숙명여대 인문계 논술 기출 문제

발 행 | 2024년 06월05일
저 자 | 김근수
펴낸이 | 김근현
펴낸곳 | 일으킨 바람
출판사등록 | 2018.11.12.(제2018-000186호)
주 소 | 경기도 고양시 일산서구 하이파크 3로 61 409동 1503호
전 화 | 031-713-7925
이메일 | iIleukinbaram@gmail.com

ISBN | 979-11-93208-53-3

www.iluekinbaram.com

강력한 숙명여대 인문계

논술 기출문제

김 근 수 지음

차례

I. 숙명여대학교 논술 전형 분석

1. 논술 전형 분석

1) 전형 요소별 반영 비율

전형요소	논술	학생부교과	총합
논술고사	90%	10%	100%
최고점/최저점	900점/675점	100점/75점	1000점/750점

2) 학생부 교과 반영

10%

(ㄱ) 반영교과 및 반영비율

- 인문계, 자연계 : 국어, 수학, 외국어(영어), 사회(역사/도덕, 한국사 포함), 과학
- 학년별 가중치 없음, 교과별 가중치 없음 (전학년 100%)

대 상	인정범위	반영 교과
졸업예정자	1학년 1학기 ~ 3학년 1학기	국어, 영어, 수학, 과학, 사회

- 졸업자 : 3학년 2학기까지

(ㄴ) 환산석차등급별 학생부(교과) 성적 배점표

구분	등급	1등급	2등급	3등급	4등급	5등급	6등급	7등급	8등급	9등급
변환점수		100	98.9	97.8	96.6	95.4	90.4	85.9	81.9	75

(ㄷ) 진로선택과목

- 반영교과 기준 상위 3과목을 등급으로 변환하여 반영함

성취도	A	B	C
석차등급	1	3	5
변환점수	100	97.8	95.4

(ㄹ) 환산석차등급산출 공식

$$환산석차등급\,산출공식 = \frac{\sum(반영\,교과목\,석차등급 \times 반영교과목\,이수단위)}{\sum(반영교과목\,이수단위)}$$

3) 수능 최저학력 기준

● 인문계/자연계(약학부 제외) : 4개 영역 [국어, 수학, 영어, 탐구(사회/과학탐구 중 1과목)] 중 *2개 영역* 등급의 *합 5* 이내

● 약학부 : 4개 영역 [국어, 수학, 영어, 탐구(사회/과학탐구 중 1과목), 수학 반드시 포함] 중 *3개 영역* 등급의 *합 4* 이내

4) 논술 전형 결과

(ㄱ) 2023학년도 논술 전형 결과

모집단위	모집인원	지원인원	경쟁률	충원인원	전체 합격인원	충원율	교과등급 (평균)
한국어문학부	11	481	44	4	15	0	4
역사문화학과	5	233	47	0	5	0	5
프랑스언어·문화학과	4	159	40	2	6	1	5
중어중문학부	12	514	43	6	18	1	4
독일언어·문화학과	3	120	40	1	4	0	4
일본학과	3	111	37	2	5	1	4
문헌정보학과	4	154	39	1	5	0	5
문화관광학전공	4	163	41	0	4	0	5
르꼬르동블루외식경영전공	5	194	39	1	6	0	5
교육학부	8	351	44	1	9	0	4
가족자원경영학과	3	122	41	0	3	0	3
아동복지학부	9	382	42	1	10	0	5
정치외교학과	3	119	40	2	5	1	5
행정학과	5	192	38	0	5	0	4
홍보광고학과	7	306	44	2	9	0	4
소비자경제학과	3	121	40	2	5	1	4
사회심리학과	3	149	50	3	6	1	5
법학부	13	598	46	2	15	0	4
경제학부	5	194	39	2	7	0	5
경영학부	11	517	47	3	14	0	4
영어영문학전공	11	488	44	6	17	1	4
미디어학부	11	504	46	0	11	0	4
인문계열 소계	**143**	**6172**	**43**	**41**	**184**	**0**	**4**

(ㄴ) 2022학년도 논술 전형 결과

모집단위	모집인원	지원인원	경쟁률	충원인원	전체 합격인원	충원율	교과등급 (평균)
한국어문학부	11	365	33	5	16	0	4
역사문화학과	5	150	30	1	6	0	4
프랑스언어·문화학과	4	122	31	-	4	0	4
중어중문학부	12	411	34	5	17	0	4
독일언어·문화학과	3	72	24	3	6	1	4
일본학과	3	85	28	1	4	0	4
문헌정보학과	4	120	30	-	4	0	4
문화관광외식학부 문화관광학전공	5	155	31	2	7	0	4
문화관광외식학부 르꼬르동블루외식경영전공	5	151	30	1	6	0	4
교육학부	8	270	34	6	14	1	4
가족자원경영학과	3	91	30	2	5	1	4
아동복지학부	9	302	34	-	9	0	4
정치외교학과	3	91	30	2	5	1	5
행정학과	5	189	38	1	6	0	4
홍보광고학과	7	311	44	1	8	0	4
소비자경제학과	3	107	36	1	4	0	4
사회심리학과	3	134	45	-	3	0	5
법학부	13	575	44	-	13	0	4
경제학부	7	282	40	-	7	0	4
경영학부	11	507	46	2	13	0	4
영어영문학부 영어영문학전공	11	373	34	6	17	1	4
미디어학부	11	490	45	3	14	0	4
인문계열	**146**	**5353**	**37**	**42**	**188**	**0**	**4**

(ㄷ)　　2021학년도 논술 전형 결과

모집단위	모집인원	지원인원	경쟁률	충원인원	전체 합격인원	충원율	교과등급 (평균)
한국어문학부	13	253	20	8	21	1	4.08
역사문화학과	7	118	17	2	9	0	3.66
프랑스언어·문화학과	5	92	18	2	7	0	4.29
중어중문학부	16	308	19	8	24	1	4.07
독일언어·문화학과	5	80	16	2	7	0	4.08
일본학과	6	96	16	3	9	1	4.36
문헌정보학과	5	111	22	4	9	1	3.84
문화관광외식학부 문화관광학전공	7	158	23	9	16	1	3.93
문화관광외식학부 르꼬르동블루외식경영전공	7	145	21	3	10	0	4.18
교육학부	11	270	25	9	20	1	3.90
가족자원경영학과	5	94	19	4	9	1	3.76
아동복지학부	11	220	20	4	15	0	3.85
정치외교학과	3	58	19	0	3	0	3.48
행정학과	7	153	22	3	10	0	4.16
홍보광고학과	8	190	24	3	11	0	3.78
소비자경제학과	5	138	28	4	9	1	3.88
사회심리학과	5	183	37	0	5	0	3.89
법학부	19	480	25	7	26	0	3.68
경제학부	8	186	23	4	12	1	3.91
경영학부	14	463	33	9	23	1	3.75
영어영문학부 영어영문학전공	15	343	23	8	23	1	3.64
영어영문학부 테슬(TESL)전공	4	71	18	6	10	2	4.16
미디어학부	16	406	25	5	21	0	3.98
인문계열	202	4616	23	107	309	1	3.91

2. 논술 분석

구분	인문계열	
출제 근거	고교 교육과정 내 출제	
출제 범위	국어 교과	국어, 독서, 문학
	사회(역사/도덕 포함)	한국사, 한국지리, 세계지리, 세계사, 동아시아사, 경제, 정치와 법, 사회·문화, 생활과 윤리, 윤리와 사상
논술유형	통합 논술형 (인문)	
문항 수	2문제 (세부문항 있음, 일반적으로 2문항)	
답안지 형식	원고지 답안지, 전체 답안 분량은 총 1,800자 내외	
고사 시간	100분	

1) 출제 구분 : 계열 구분 (자연계 의류학과는 인문계열 유형!)

2) 출제 유형 : 총 대문제 2 (세부문항 각 2문제)
● 문항 1번 : 수치, 도표가 포함된 지문으로 구성, 주로 사회과학적 내 (300자 내외)
● 문항 2번 : 경제, 환경, 심리, 과학 등 사회 현상과 내재된 원리 파악 (600자 내외)

3) 출제 및 평가내용 :
· 고교교육과정과 연계된 범위에서 통합적 사고력을 평가할 수 있도록 출제
· 통합논술형은 국문의 제시문 혹은 자료의 기술양식, 제재 혹은 논제의 성격 등이 인문·사회과학적 특성과 자연과학적 특성이 통합된 형태

3. 출제 문항 수

구분	인문계
문항수	2문제 (각 소문항 2개) 각각 1번 300자 내외, 각각 2번 600자 내외

4. 시험 시간
· **100분**

5. 필기구
· **연필 또는 검정색 볼펜**
  (지우개 사용가능, 수정액 및 수정테이프 사용불가)

6. 논술 유의사항

1) 답안 작성 시 유의 사항

1. 시험시간은 100분입니다.
2. 논술 답안은 문항별로 한 가지 필기구(검정색 볼펜 또는 연필)를 선택하여 일관되게 작성합니다. (수정액, 수정테이프, 색깔펜은 사용을 금지합니다)
3. 답안에 자신을 드러낼 수 있는 표현이나 표시를 하는 경우 실격 처리됩니다.
4. 수정할 사항은 원고지 사용법에 따라 수정합니다.
5. 문제는 총 2문제이고, 답안지는 총 2장입니다.
6. 각 문제별로 지정된 답안지의 정해진 위치에 답안을 작성합니다.
7. 감독위원이 시험시작을 알리기 전까지는 문제를 볼 수 없습니다.
8. 시험 시작 후 문제지의 문항수를 확인합니다.
9. 시험 종료 후 문제지, 답안지, 연습지 모두 감독위원에게 제출합니다.

2) 2024학년도 채점 기준 사례 (문제 1)

1. 각 1번 문항은 글자 수 200자, 각각 2번 문항은 400자 이내 답안은 0점 처리함
2. 수험생의 개인정보를 암시한 답안은 0점 처리함
3. 채점은 각 세부 문항별로 이루어지며 **9등급**으로 구분하여 세부항목별 채점.

하위 문항	채점기준	배점
1-1	■ 답안의 구성요소 - 답안이 논제의 요구사항을 충족하고 있는가. - 답안 구성이 전체적으로 논리적인가. - 답안의 언어 사용이 명확하고 자신의 언어로 잘 표현하고 있는가. ■ 논제에 대한 답안은 다음의 조건을 충족해야 한다. 【<나>의 핵심 개념을 기술】 ① <나>는 근로기준법 등 현행법상 노동자 규정의 핵심개념은 '종속노동'이며, 사용자와 노동자는 '사용종속관계'에 있어야 한다는 점을 설명하고 있다. 또한 사용종속관계를 맺은 종속노동의 속성으로 인적 종속과 경제적 종속이 있다. 【<가> 판결의 <관련 근거> 설명】 ② 관련근거①은, 배달원에 대한 사용자의 관리와 통제를 말하기에 인적 종속성 여부, ③ 관련근거②는, 배달원의 업무시간과 장소에 대한 것이기에 인적 종속성 여부,	

④ 관련근거③은 건당 수수료를 취하고 있다는 경제적 종속성 여부,
⑤ 관련근거④는 근로계약과 임노동 여부에 관한 것으로 사용종속관계 중 경제적 종속성 여부에 해당한다.

-<가> 판결문은 이러한 근거로 배달대행종사자를 '종속노동'에 해당하는 조건을 충족하지 않는 것으로 보아 프리랜서로 판단하고 있다.

<유의사항>
- 글자 수 200자 이내 답안은 0점(9등급) 처리함.
- 수험생의 개인 정보를 암시한 답안은 0점(9등급) 처리함.

내용	등급
①, ②, ③, ④, ⑤를 모두 충족한 경우	1등급
①, ②, ③, ④, ⑤를 모두 충족하였으나, 논리적 구성 및 정서법이 부족한 경우	2등급
①을 충족하고, ②, ③, ④, ⑤ 중 어느 하나가 부족한 경우	3등급
①을 충족하고, ②, ③, ④, ⑤ 중 어느 하나가 부족하며, 논리성 및 정서법이 부족한 경우	4등급
①이 부족하고, ②, ③, ④, ⑤ 중 두개가 부족한 경우	5등급
①이 부족하고, ②, ③, ④, ⑤ 중 두개가 부족하며, 논리성 및 정서법이 부족한 경우	6등급
①이 부족하고, ②, ③, ④, ⑤ 중 세개가 부족한 경우	7등급
①, ②, ③, ④, ⑤가 모두 부족한 경우	8등급
글자 수가 모자라거나, 수험생의 개인 정보를 암시한 경우	9등급

하위 문항	채점기준	배점
1-2	■ 답안의 구성요소 - 답안이 논제의 요구사항을 충족하고 있는가. - 답안 구성이 전체적으로 논리적인가. - 답안의 언어 사용이 명확하고 자신의 언어로 잘 표현하고 있는가. ■ 논제에 대한 답안은 다음의 조건을 충족해야 한다. 【<표1>과 <표2>에 대한 설명】 ① <표1>은 플랫폼 노동자의 주업 또는 부업 여부에 따른 상위 5개의 직종 분포를 보여주는데, 이를 통해 배달·배송·운송업이 차지하는 비중이 월등히 높아 다수의 플랫폼 노동자가 그 노동에 생계를 의존하고 있음을 알 수 있다. 지문과의 유추로 배달업 종사자의 위험 노출 가능성을 지적할 수도 있다. ② <표2>는 플랫폼 노동 참여 수준에 따른 고용 및 산재보험 가입 비율을 보여주는데, 주업과 부업 모두 가입률이 낮으며, 주업으로 일하는 종사자의 미가입률이 가장 높다. 이를 통해 플랫폼 노동자의 고용	

형태의 불안정과 그에 따른 사회적 보호의 부족을 알 수 있다.

【플랫폼 노동 상황의 문제점】
 - 이러한 현상이 나타나는 원인은 <다>를 통해서 알 수 있는데, 그것은 플랫폼 기업이 네트워크 효과를 선점하기 위한 과정에서 플랫폼 노동자를 독립사업자로 간주하여 고용하기에 나타나는 현상이다.
 ③ 따라서 플랫폼 노동자는 사회보장제도의 보호를 받지 못하고, 위험에 노출되기 쉬우며, 플랫폼 기업이 소비자에게 혜택을 제공하는 과정에서 플랫폼 노동자의 몫이 축소될 가능성도 높다.
 ④ 또한 <가>는 현행법상 노동자 규정을 협소하게 적용하여 플랫폼 노동자를 프리랜서로 판결하고 있지만, <나>의 종속노동 개념에 따르면 그것은 산업혁명이라는 역사적 맥락에서 형성된 것으로 그것을 현재의 플랫폼 자본주의에 엄격하게 적용하는 데에는 한계가 존재한다.

【해결방향】
 ⑤ 따라서 해결방향으로는 노동자 규정의 법적 재검토를 통해 플랫폼 노동자의 권익과 사회보장을 강화해야 할 것이다. 또한 기업은 플랫폼 노동자의 사회보험 가입을 의무화하여 사회보장을 강화하고 적정한 임금 수준을 유지하고 위험 비용을 부담하는 등의 노력을 해야 할 것이다.

<유의사항>
- 글자 수 200자 이내 답안은 0점(9등급) 처리함.
- 수험생의 개인 정보를 암시한 답안은 0점(9등급) 처리함.

①, ②, ③, ④, ⑤를 모두 충족한 경우	**1등급**
①, ②, ③, ④, ⑤를 모두 충족하였으나, 논리적 구성 및 정서법이 부족한 경우	**2등급**
①을 충족하고, ②, ③, ④, ⑤ 중 어느 하나가 부족한 경우	**3등급**
①을 충족하고, ②, ③, ④, ⑤ 중 어느 하나가 부족하며, 논리성 및 정서법이 부족한 경우	**4등급**
①이 부족하고, ②, ③, ④, ⑤ 중 두개가 부족한 경우	**5등급**
①이 부족하고, ②, ③, ④, ⑤ 중 두개가 부족하며, 논리성 및 정서법이 부족한 경우	**6등급**
①이 부족하고, ②, ③, ④, ⑤ 중 세개가 부족한 경우	**7등급**
①, ②, ③, ④, ⑤가 모두 부족한 경우	**8등급**
글자 수가 모자라거나, 수험생의 개인 정보를 암시한 경우	**9등급**

II. 기출문제 분석

1. 출제 경향

학년도	교과목	질문 및 주제
2024학년도 수시 논술 1차	통합사회, 정치와 법, 경제	노동법,근로계약,근로자의 권리 보호, 경제 주체의 역할
	문학, 경제, 생활과 윤리, 윤리와 사상	경제적 유인, 동물복지론, 동물권리론
2024학년도 수시 논술 2차	언어와 매체, 사회·문화, 생활과 윤리, 국어, 윤리와 사상	매체, 편견, 문화 다양성, 인종
	문학, 독서, 생활과 윤리, 통합사회	과학, 기술, 타자
2024학년도 모의 논술	국어, 사회·문화, 독서, 사회·문화, 생활과 윤리	갈등, 집단, 외부의 적, 가짜뉴스
		사실, 판단, 갈등
2023학년도 수시 논술 1차	통합사회, 사회·문화, 정치와 법	환경 문제, 사회 불평등, 지속 가능한 사회
	생활과 윤리, 통합사회, 사회·문화	민주주의, 자유주의, 시민 윤리, 사회적 약자, 능력주의
2023학년도 수시 논술 2차	통합사회, 사회·문화	합리적 소비, 윤리적 소비, '돈쭐', 브랜드 숭배
	윤리와 사상, 생활과 윤리, 세계사	매체, 미디어, 전체주의, 무위자연, 장자
2023학년도 모의 논술	생활과 윤리, 통합사회, 사회·문화	공정한 기회균등 원칙, 차등 원칙, 능력주의, 사회 이동성, 공정으로서의 정의, 불평등, 우연성
	문학, 사회·문화	비유, 주술, 문화, 금기, 환유, 은유
2022년도 수시 논술 1차	통합사회, 경제, 사회·문화	계층간 차이, 소득 5분위 배율, 소득불평등, 착시현상, 취업자수, 고용률
	한국사, 통합사회, 경제	북학파, 상업자본주의, 자유주의, 시장

학년도	교과목	질문 및 주제
2022학년도 수시 논술 2차	통합사회, 경제	지구온난화, 비협조, 배출권거래제, 탄소국경조정제
	문학, 언어와 매체, 한국사	언어, 사고, 욕망, 타자, 현실, 실재
2022학년도 모의 논술	사회	낙인, 소년범죄, 엄벌주의, 흉악 강력범죄, 보호처분
	문학, 통합사회, 생활과 윤리, 윤리와 사상	인간, 인간상, 인권, 자유의지, 우생학
2021학년도 수시 논술 1차	문학, 생활과 윤리, 통합사회	인간 클론, 과학기술의 인간중심주의 , 생명공학, 천부인권, 인간의 권리
	윤리와 사상, 정치와 법, 세계사	민주주의, 다수의 횡포, 공론조사
2021학년도 수시 논술 2차	생활과 윤리, 세계사, 사회·문화, 문학	야만적 타자, 식민주의
	통합사회, 정치와 법, 경제, 윤리와 사상	세계화, 세계무역기구, 주권, 인권, 특허권, 강제실시
2021학년도 수시 논술 3차	국어, 도덕, 사회	기억, 역사, 공동체, 서사, 정체성, 재현
	언어와 매체, 사회문화	현대사회매체, 사회문화현상, 매체문화에 대한 비판
2021학년도 모의 논술	경제, 사회·문화	디지털 경제, 일자리 창출
	문학, 윤리와 사상, 사회 문화, 통합 사회	사회적 소수자, 혐오, 차별, 배제, 정의, 상생, 공존, 공동체 의식, 세계시민

2. 출제 의도

학년도	출제의도
2024학년도 수시 논술 1차	플랫폼 자본주의의 확장과 노동의 변화에 따라 나타나는 문제점과 그 해결방향에 대해 묻고 있다. <가>는 플랫폼 노동의 일종인 배달업 종사자의 교통사고를 둘러싸고, 현행법상 그 노동자의 '근로자성'을 인정하지 않는 대법원 판례를 기술하고 있다. <나>는 현행법이 규정하는 '근로자' 판단의 핵심 기준이 '종속노동' 개념임을 설명하고, 이 종속노동 개념이 근대 이행기에 성립하는 과정을 검토함으로써 시대에 따라 변화해온 개념임을 밝히고, 종속노동을 근로자성 여부에 협소하게 적용하여 판단하기 보다는 보다 넓게 적용해야 함을 주장하고 있다. <다>는 플랫폼 자본주의의 매커니즘과 그에 따라 발생하는 플랫폼 노동의 제반 문제점들을 기술하고 있다. 　<표>에서 나타나는 플랫폼 노동의 상황을 파악하고, <가>를 통해 현행법이 '근로자성'을 판단하는 기준을, <나>를 통해 이 기준이 종속노동이라는 개념에 근거하고 있음을, <다>를 통해 플랫폼 자본주의라는 노동 환경의 변화에 주목하여, 지문들 사이의 관련성 파악과 자신의 주장을 논리적으로 구성할 수 있는지를 묻고자 했다. 　<가>에 제시된 소설 속 주인공의 토끼 사육 행위에 대해 <나>와 <다>에 제시된 개념 및 이론을 적용할 경우 어떠한 해석 및 평가가 가능한지를 묻고 있다. <가>에는 주인공 '현'이 생계를 목적으로 토끼 사육을 결심하고 포기하게 되는 과정이 서술되고 있다. 특히 먹이 문제로 인해 사육을 포기하고 토끼의 '도살' 문제를 놓고 갈등하는 '현'의 내면이 부각되고 있다. 　<나>는 '경제적 유인'에 반응하여 의사 결정 과정에서 비용과 편익을 고려한다는 취지의 내용을 담고 있다. 첫 번째 문항은 <나>에 제시된 '긍정적인' 경제적 유인과 '부정적인' 경제적 유인 개념을 적용하여 <가>에서 '현'이 토끼 사육을 결심하고 포기하는 동기를 해석할 수 있는 능력을 평가하려는 취지에서 출제하였다. 　<다>는 공리주의 관점에 바탕을 둔 '동물복지론'과 의무론적 관점에 근거한 '동물권리론'의 특징을 설명하고 있다. 두 번째 문항은 <다>의 분석을 통해 '동물복지론'과 '동물권리론' 두 이론의 유사점 및 차이점을 추론할 수 있는 능력, 그리고 '동물복지론'과 '동물권리론' 각각의 입장에 근거할 때 <가>에서 서술되고 있는 '현'의 토끼 사육 행위에 대한 논리적으로 판단하는 비판적 능력을 평가하고자 하는 취지에 발문을 구성했다. 　요컨대 이 문제는 '경제적 유인', 동물복지론', '동물권리론' 등의 추

학년도	출제의도
	상적인 개념 및 이론을 적절하게 이해할 수 있는 분석 능력, 그리고 이를 소설에 나타난 구체적인 상황에 적용하여 타당하게 해석 및 평가할 수 있는 비판적 사고 능력을 종합적으로 측정하려는 의도에서 출제되었다.
2024학년도 수시 논술 2차	표적 대상의 인종이 사람들의 사격 결정 여부에 영향을 미치는 슈터 편견 현상과 이를 이중처리이론의 직관적 양식과 관련해 설명할 수 있는지 묻고 있다. 또한, 백인, 흑인, 라틴계의 실제 범죄 피해자와 가해자 비율과 TV뉴스에 등장하는 피해자와 가해자 비율의 차이가 나타나는 이유를 미디어의 정형화, 설명적 쉼표, 상대적 비가시성 개념을 토대로 해석할 수 있는지를 묻고 있다. <가>는 미국에서 슈터 편견을 검증한 실험 연구를 소개하면서, 슈터 편견은 미국에서 문화적 차원에서 존재하는 흑인에 대한 고정관념이 작용하는 결과임을 보여준다. <나>는 이중처리이론의 핵심 기제인 직관적 양식과 숙고적 양식의 차이점을 토대로 두 양식이 정보처리에 관계하는 방식을 비교하고 있다. <다>는 흑인, 백인, 소수인종에 대한 미디어의 재현 메커니즘을 설명적 쉼표, 정형화, 상대적 비가시성 개념을 중심으로 소개한다. 결국, 슈터 편견을 통해 흑인에 대한 보편적 차원에서 차별적 고정관념이 존재하며, 이는 직관적 모드를 통해 인지적 노력 없이 무의식적이며 자동으로 활성화되는 메커니즘을 이해하는지 묻고자 했다. 또한, 인종에 대한 미디어의 재현과정에 작동하는 기제를 지문에 소개된 개념들을 통해 설명하도록 했다.
	기술이 발달함에 따라 인간을 닮은 로봇에 대한 기술도 급격히 발달하고 있다. 이로 인해 현대인들은 인간이란 무엇인가, 로봇과의 공존은 어떻게 가능할 수 있는가에 대해 고심하고 있다. 이 문항의 지문은 이러한 문제와 관련된 것이다. <가>는 동양의 고전 우화(寓話)에서 뽑은 것이다. 인간이 만든 인형이 왕 앞에서 춤을 추고, 왕이 이를 즐기다가 불현듯 섬뜩한 느낌을 받지만, 그 인형이 제어 가능한 존재란 걸 알고 곧 기뻐하며 함께 수도로 돌아간다는 내용이다. <나>는 현대 과학 논문에서 뽑은 것이다. 일본의 로봇공학자 모리 박사는 인간을 닮은 로봇을 만들다가 불현듯 불쾌감을 느낀 적이 있었던 듯하다. 인간을 닮은 것은 어느 정도까지는 인간에게 즐거움을 주지만, 어느 순간 급격히 섬뜩한 느낌을 가지게 되는데 그 이유가 무엇일까를 가벼운 과학 논문으로 작성하였다. 그에 따르면 인공물이 사람과 외형적으로 유사성이 많이 높아지고, 그것에 동작까지 가미되

학년도	출제의도
	면 인간은 그제서야 인공물이 인간이 닮지 않은 점을 불현듯 깨닫게 되는데 그것이 불쾌함이 생겨나는 원인이라고 보았다. 그리고 이 현상은 인간의 모습과 다른 디자인을 추구함으로 가능하다고 보았다. 　＜다＞는 서양의 근대 소설인 프랑켄슈타인에서 발췌한 것이다. 발췌한 부분은 프랑켄슈타인 박사는 어느날 무생명한 것에 생명을 불어 넣는 방법을 알게 되자 이 지식을 활용하여 시체를 짜맞춘 것에 생명을 불어 넣게 되는데 처음에는 친밀감을 가지고 그 존재를 마주하였지만 생명이 불어넣어지고 드디어 움직이는 순간이 오자 섬뜩함과 두려움에 사로잡히게 된다는 부분이다. 　＜가＞, ＜나＞, ＜다＞는 모두 인간과 ‘인간이 만든 인간 아닌 것’의 관계에 대한 내용을 담고 있다. 하루가 멀다하고 쏟아져 나오는 로봇의 발전상에 관한 뉴스. 그것을 대하는 우리 마음속 풍경은 이중적인 면이 있다. 신기하기도 하면서 ‘그 존재들의 사람 같음’으로 인해 두려움도 느끼는 것이다. 이 문제는 이러한 상황을 묻고자 했다.
2024학년도 모의 논술	현대 정치의 위기 징후인 집단간 적대감 등을 분석할 현상으로 보고 이를 다양한 관점에서 접근하여 그 의미를 찾으려는 것을 배경적 목적으로 하고, 구체적으로는 수험생들이 '우리 사회의 정치 갈등'과 '가짜 뉴스 소비' 관련 통계 자료를 고교 국어와 사회·문화 교과과정에서 배운 논리를 바탕으로 실제로 분석하고 체계적으로 서술할 수 있는 능력을 평가하려는 목적으로 출제되었다. 　한편, 전통적인 문해력이 문자 텍스트를 읽고 쓰는 능력에 관계했다면, 최근 디지털 대전환의 시대에는 ＜표＞나 ＜그래프＞ 등 숫자와 시각 자료를 통해 정보를 파악하는 '데이터 문해력'의 중시되고 있기 때문에, 세 개 제시문과 함께 그래프를 함께 제시해서, 이에 대한 능력도 함께 평가하고자 했다.
	마지절이란 인물이 보인 행동을 이해할 수 있는가, 또 비판적으로 볼 수 있는가를 묻기 위해 출제되었다. ＜가＞지문에서 마지절은 그가 아끼던 유명 화가의 그림을 비웃은 농부에게 그 까닭을 묻고 그 이유가 “그림의 싸움소는 소꼬리를 밖으로 빼고 있는데 소는 싸울 때 결코 꼬리를 밖으로 빼는 일이 없는 바, 그림이 현실에 바탕하지 않았기에”라고 하자 그 말을 수용하고 그림을 찢어버린다. 이 일화에서 학생들이 얻는 일반적인 교훈은 “명성보다는 실제를 잘 아는 현장 전문가의 말을 경청하는 태도의 미덕” 정도가 될 것이다. ＜나＞의 지문에서는 반전이 있다. ＜가＞에서 말하던 농부의 말은 사실이 아니었던 것이다. 이중섭이 오랜 관찰을 통해 그린 소싸움 그림은 소꼬리를 밖으로 빼고 있고, 현실의 사진에서도 소가 꼬리를 빼고 싸우는 장면이

학년도	출제의도
	보인다. 농부의 말 "싸울 때의 소는 절대로 꼬리를 밖으로 빼는 법이 없다"는 오류였던 것이다. 이를 통해 <가>의 상황을 비판할 수 있는가를 물었다. 2번 문제에서는 마지절의 행동을 <다>에 소개된 '언더도그마'라는 개념을 통해 풀어낼 수 있는가를 물었다. <가>가 구체적인 사건이라면 <다>는 이를 해석하는 틀을 제공하는데, 그 틀을 적용할 수 있는가를 물은 것이다. 마지절의 행동은 언더도그마와 닮은 점이 있다. 유명 화가도 알고 보면 소를 오랫동안 관찰한 전문가인데, 마지절은 둘의 대립에서 농부만 전문가라고 순간적으로 생각했던 것이다. 이것은 둘의 명성의 차이에서 비롯된 것으로 풀이될 수 있는바, 그 유사성을 추출해 낼 수 있는가를 측정하고자 하였다. 다만, 마지절이 농부의 전문성을 더 높은 것으로 생각하여 판단한 것이라고 생각할 여지도 있을 것이므로 그것도 추가로 파악하고 있는가도 물었다.

2023학년도
수시 논술
1차
	인류의 '지속 가능한 미래'를 위해 우리가 사고해야 할 조건은 무엇인지에 대해 묻고 있다. <가>에서는 지구 위기에 대한 기술 발전의 중요성을 강조하고 있으며, 각국 정부는 기술을 개발하고 기업을 지원하는 정책을 펼쳐야 한다고 주장한다. <나>는 옥스팜(Oxfam)의 보도 자료로서, 기후 위기는 1990년~2015년 사이 급격하게 악화되었으며, 그 주요 원인이 소득 기준 탄소배출량의 극명한 차이를 의미하는 '탄소불평등'에 있다고 고발한다. <다>는 '도넛 경제 모델'의 설명인데, 이는 인간이 지속 가능한 미래를 만들어 나갈 조건으로서 지구라는 '생태적 한계'와 불평등 해소 등 '사회적 기초'가 반드시 균형을 이루어야만 한다는 내용을 담고 있다.
	  결국 기후 위기에 대한 대응으로 <가>는 기술개발과 지원 정책, <나>는 탄소불평등 해소, <다>는 환경과 윤리의 균형에 주장의 핵심이 있다고 할 수 있는데, 학생들은 동일한 대상에 대한 다양한 의견들을 비판적으로 검토함으로써 자신의 주장을 논리적으로 구성할 수 있는지를 묻고자 했다.
	
	  최근 코로나 팬데믹 국면에서 야기된 '돌봄 위기'는 이제껏 우리 사회가 간과하고 배제해온 돌봄의 가치에 주목하는 계기가 되었다. 모든 것이 멈춰도 인간의 삶과 생명을 유지하기 위해 결코 멈출 수 없는 필수노동으로서 돌봄이 가시화되면서 이를 둘러싼 사회적 논의가 확산된 것이다. 또한 근래 활발히 논의되고 있는 돌봄민주주의의 관점에 입각해 민주주의 사회가 나아갈 방향을 비판적으로 사고하도록 출제되었다.
	  제시문 <가>는 로크의 『통치론』에 나타난 자유주의적 인간관을 제

학년도	출제의도
	시하고 있으며, 제시문 <나>는 돌봄민주주의의 대표적 논자인 조안 C. 트론토의 핵심적 주장과 그 근거가 되는 돌봄 윤리의 인간관을 담고 있다. 제시문 <다>에서는 돌봄을 둘러싼 역할 갈등과 가치관 대립이 문제상황으로 드러난 구체적 현실 사례로서 '영 케어러'의 인터뷰를 제시하였다 수험생들에게는 각각의 제시문의 요점을 정확히 파악하는 독해력과 함께, 이들 내용을 종합적으로 연결지어 사고할 수 있는 논리적·비판적 사고력이 요구된다. 　<가>가 제시하는 독립적·자율적 인간관과는 달리, <나>의 돌봄민주주의는 인간을 근본적으로 상호의존적 존재로 보고 돌봄의 공적 가치를 인정함으로써 모든 시민이 돌봄에 참여하는 민주주의 사회를 구축하자고 제안한다. 이러한 <나>의 관점을 <다>의 구체적인 현실 사례에 적용해봄으로써, 능력주의적 가치관의 한계를 성찰하고 돌봄을 중심으로 인간과 공동체를 사유해볼 수 있도록 하였다.
2023학년도 수시 논술 2차	현대 청년 세대를 통해 확산하고 있는 소비 행동을 하나의 사회 현상으로 보고 이를 다양한 관점에서 접근하여 그 의미를 찾으려는 것을 배경적 목적으로 하고, 구체적으로는 수험생들이 '돈쭐'과 '브랜드 숭배'라는 새로운 소비 행동과 가계 소비 동향 자료를 고교 사회과 교과과정에서 배운 논리를 바탕으로 실제로 분석하고 체계적으로 서술할 수 있는 능력을 평가하려는 목적으로 출제되었다. 　한편, 전통적인 문해력이 문자 텍스트를 읽고 쓰는 능력에 관계했다면, 최근에는 <표>나 <그래프> 등 숫자와 시각 자료를 통해 정보를 파악하는 '데이터 문해력'의 중시되고 있기 때문에, 이 문항에서는 세 개 제시문과 함께 그래프를 함께 제시해서, 이에 대한 능력도 함께 평가하고자 했다. 　현대인들이 무심코 사용하는 라디오, 인터넷망, 앱 등의 기술이 지닌 위험성을 포착할 수 있는가, 이를 『장자』가 일찍이 경계한 바 있는 인간이 엮고 만든 법의 위험성과 연관지어 사고할 수 있는 가를 묻고자 하였다. <가>에서는 라디오라는 뉴미디어가 독일의 각 가정에 보급되는 의도와 과정을 실었고, <나>에서는 현대의 기술 플렛폼을 대표하는 업체의 하나인 '배민 장부'가 고객을 모으는 과정을 수록하였다. 이 두 지문에 나타난 '라디오'와 '장부'는 표면적으로는 달라 보이지만, 이면적 속성에서 볼 때는 '흩어져 있던 하위 구성원을 하나로 조직하는 역할을 하는 첨단 매체, 그렇기에 언제든지 일사불란하게 구성원을 움직일 수 있는 역량을 가진 조직체'라는 점을 공유하고 있다. '문제2-1'에서는 학생들이 이를 잘 포착할 수 있는가를 물었다. 장자는 인간이 만든 조직의 위험성을 일찍이 간파한 적이 있었다. 예

학년도	출제의도
	시문 <다>에는 장자의 이런 사상이 비유적, 예시적으로 표현되어 있는데 '문제2-2'에서는 이 비유가 담은 뜻을 요약하고, <가>와 <나>에 나타난 사회에 적용시켜 이해할 수 있는가를 묻고자 하였다.
2023학년도 모의 논술	첫째, 수험생들이 제시문 <가>에 나타난 '공정으로서의 정의', '공정한 기회균등의 원칙'과 '차등 원칙'과 같은 추상적 철학적 개념들을 정확히 이해하는가, 둘째, 제시문 <나>의 실제 미국 사례와 제시문 <다>의 <표>와 <그림>을 이해하고 그것들 간의 관계를 파악할 수 있을 정도로 다양한 형식으로 제시된 자료들에 대한 이해력과 응용 능력을 갖추고 있는가, 셋째, 제시문 <나>에서 소개된 학업성취도평가(SAT)라는 시험 제도가 지니는 한계점을 파악하고 표현할 수 있을 정도로 주어진 문제를 분석, 비판하여 평가할 수 있는 역량을 갖추고 있는가를 측정하기 위해 출제되었다. 사회에서 제도와 정책은 추상적인 철학 원리에 기초해 있고, 구체적인 결과로 드러난 사회 현상들과의 관계에서 그 의미가 재검토될 수 있다. <표>와 <그림>이라는 시각화된 자료를 통해 나타난 사회 현상들을 비교 분석하고, 그것이 보여주는 의미를 제도와 정책 뿐만 아니라 추상적인 원칙을 파악하고 재검토하는 데까지 적용할 수 있는 능력은 민주 사회에서 구성원들이 갖추어야 할 기본 역량이다. 이 역량을 교육 과정을 통해 학생들이 갖추고 있는지를 평가하는 데 출제 의도가 있다.
	인류의 문화에서 발견되는 주술의 원리와 비유의 원리의 공통점을 파악하여 서술할 수 있는가를 묻기 위해 출제되었다. <가>는 터부가 작동하는 기제를, <나>는 주술의 두 원리인 '닮음을 활용한 주술'와 '닿음을 활용한 주술'을, <다>는 비유의 두 원리인 '인접성을 활용한 비유'와 '유사성을 활용한 비유'를 보이고 있다. 　<가>에서 보이는 죽은 자를 꺼리는 터부의 원리는 주로 '닿음'과 관련되어 있다. 주검을 처리한 당사자는 주검을 만졌기에 다른 마을 사람들로부터 철저히 배제된다. 그들이 사용하던 그릇을 깨어 버리는 행위 등도 닿음을 기피하기 위한 행동들이다. 이들은 접촉을 통하여 죽은 자의 나쁜 기운이 그것을 만진 자를 통하여 마을로 전해지는 것에 대한 두려움을 지니고 있다. 　<나>에서 보이는 주술의 원리는 두 하위 범주로 설명된다. 하나는 유사한 것[모상(模像)]을 만들어 어떤 행동을 하면 그 본상이 동일한 영향을 입으리라는 것이고, 다른 하나는 소속되거나 닿아 있는 것을 활용함으로써 원래의 전체를 제어할 수 있으리라는 것이다. 이 중 후자는 닿음을 통하여 영향을 줄 수 있다고 믿는다는 점에서 <가>의 터부의 원리와 유사하다.

학년도	출제의도
	<다>에서 보이는 비유의 원리 또한 두 하위 범주로 설명된다. 하나는 '그물 - 법'의 관계로 유사한 속성을 지닌 것을 말함으로써 원래의 대상을 칭하는 것이고, 다른 하나는 '안경 - 그 사람'의 관계로 인접해 있는 것을 말함으로서 원래의 대상을 칭하는 것이다. 이를 본문에서는 '유사성'과 '인접성'이라고 칭하고 있다. 표현된 언어만 다를 뿐 <나>를 사례를 요약할 수 있는 말인 '닮음', '닿음'과 동일한 뜻을 지니고 있다고 할 수 있다.
2022학년도 수시 논술 1차	제시문 <가>와 <나>에 나타난 계층 간에 발생하는 다양한 격차와 착시 현상을 파악한 후, 이를 활용하여 <표 1>과 <표 2>에 있는 고용 관련 데이터를 논리적이고 치밀하게 분석함으로써 제시문 <다>에 소개된 주장의 한계점 기술 혹은 문제점 비판을 목적으로 한다. 어떤 현상에 대해 전체를 바라보는 관점과 전체를 세분화하여 바라보는 관점은 단순히 관점의 차이가 아니라, 결과에 대한 해석의 차이를 낳을 수 있다. 같은 맥락에서 어떤 현상을 비교 분석함에 있어서 비교 기준이 무엇이냐에 따라 역시 다른 결과를 도출할 수 있다. 따라서 다양한 관점에서 데이터를 비교 혹은 분석하는 것이 데이터가 제시하는 본질적 실체에 접근하는 방법이 될 수 있다. 과거의 문해력이 글을 읽고 쓰는 것에 집중했다면, 최근에는 <표>나 <그래프> 등 시각화 자료를 통해 제공된 정보와 데이터가 늘어나므로, 이를 분석할 수 있는 '데이터 문해력'의 중요성이 커졌다. 이러한 데이터 문해력은 비판적 사고나 협력적 의사소통과 같은 기본 소양 향상에 매우 중요한 요소이기도 하다.
	조선 후기 상업을 박대함으로써 시장의 기능이 위축되어 나라의 경제가 발전하지 못한 문제 상황을 이해하고 (<가>), 이러한 문제 상황을 경제적 자유주의 입장 (<나>)에서 진단하고 분석하는 능력을 측정하기 위하여 출제되었다. 경제적 자유주의의 주장에 따라 무엇이든 시장에서 팔 수 있다는 시장 자본주의의 부작용(<다>)을 비판적으로 평가하는 능력의 측정을 위해 출제되었다. 수험생들은 이 문제들을 통해 시장 경제가 가진 순기능과 더불어 그 한계 또한 생각해 볼 수 있을 것이다.
2022학년도 수시 논술 2차	전 지구적 온난화 위기에 대응하는 국가들의 협조가 강조되지만, 국가들이 비협조를 택하게 되는 결과를 설명하는 게임이론을 주목하고 이에 근거하여 국가들의 비협조를 극복하면서 지구온난화 방지에 기여하는 방안의 특징을 분석적으로 파악하도록 하였다. 한편으로 이용의 대상인 지구 환경에 내재한 특성과 다른 한편으로 이용의 주체인 국가의 우월전략을 택하는 게임이론을 설명하는 제시

학년도	출제의도
	문 <가>, 국가들의 온실가스 배출량을 일정 한도로 제한하고 국가들의 배출권을 거래할 수 있도록 한 '교토의정서'의 체계를 해설하는 제시문 <나>, 그리고 탄소 비용을 원산지 국가에서 지불하지 않고 수입되는 제품에 그 비용을 부과하는 제품에 부과하는 유럽 연합의 탄소국경조정제를 보도하는 제시문 <다>를 제공한 후, 지구온난화 위기 대응의 어려움이 무엇인지 확인하고, 국가들의 비협조에 대응하여 배출권거래제와 탄소국경조정제가 지구온난화 방지에 어떻게 기여하는지를 비교하여 분석하도록 하였다. 수험생은 환경문제에 관한 협조를 핵심어로 하여 그 협조가 이루어지기 어려운 이유를 파악하고, 국가들의 비협조를 극복하는 독립된 제도들을 동일 항목을 기준으로 비교하여 분석함으로써, 1차 이해와 2차 분석 그리고 3차 비교를 하도록 한 것이다.
	'언어의 기능'에 대한 이해를 바탕으로 '언어와 권력'의 관계를 비판적으로 성찰할 수 있는지를 평가하려는 취지에서 구상되었다. 이를 위해 언어의 두 가지 기능, 즉 현실에 대한 인식을 가능하게 하는 기능과 현실을 구성하는 기능을 '프레임과 언어', '존재와 언어' 등을 다룬 제시문을 통해 생각해 볼 수 있도록 하였다. 또한 언어가 현실을 구성하는 과정에서 빚어질 수 있는 인식의 왜곡 및 권력 작용 가능성을 구체적인 문제 상황 속에서 성찰해 볼 수 있도록 소설 작품에서 제시문을 발췌하여 제시하였다. 이러한 취지에서 문제 2-1.은 제시문 <가>와 <나>를 독해하여 언어와 사고의 관계를 비교 분석하는 능력을, 문제 2-2는 언어가 현실을 왜곡하고 나아가 타자에게 권력으로 작용할 수 있다는 점을 제시문 <다>의 소설 속 구체적인 문제 상황에 적용하여 비판적으로 사고하는 능력을 측정하고자 하였다.
2022학년도 모의 논술	소년범죄의 흉악 강력범죄 발생이 증가함에 따라 처벌강화의 주장이 부상하는 것을 배경으로 삼아 사회 구조 속에서 개인의 일탈행동을 부정적으로 만드는 낙인에 관한 이론을 주목하고 이에 근거하여 실제 발생하는 소년범죄의 양상과 이에 대한 타당한 대응 방안의 방향을 생각해보게 하였다. 낙인을 핵심어로 하여 부모, 교사, 친구 등에 의한 낙인에 관한 일반적 설명을 다루는 제시문 <가>, 강력한 공식적 낙인인 형사처벌과 그로 인해 예상되는 결과를 담은 제시문 <나>, 그리고 소년범죄에 대한 엄벌주의 대응을 요구하는 주장을 담은 제시문 <다>를 제시한 후, 이들 제시문과 함께 최근 10년간 우리나라 소년범죄의 실태를 보여주는 <표> 정보에 입각하고 낙인 이론에 따른 악순환의 가능성을 고려하여 이를 회피하는 방안을 논리적으로 도출할 수 있는지를 평가하고자 하였다.

학년도	출제의도
	근대의 계몽주의적 인간상을 이해할 수 있게 하는 제시문과 그런 근대적 인간상이 자아낼 수 있는 부정적 영향을 짐작할 수 있게 하는 제시문으로 구성되어 있다. 근대의 인간상은 과학 지식을 토대로 세상은 물론 인간 자신마저도 인간 자신의 욕구와 의도에 따라 조형할 수 있다는 믿음에 기초해 있다. 인간이 세상 만물들 중에 가장 높은 자리에 있다는 이러한 인간중심주의는 자연에 대한 파괴는 물론이고 인류 역사에서 가장 끔찍한 인권 침해와 폭력의 근거가 되기도 한다. 문항의 요구사항은 이러한 인간상을 두 제시문, <가>와 <나>에서 포착하고, 그 위험성을 <다>를 활용하여 비판하는 것이다.
2021학년도 수시 논술 1차	과학기술의 인간중심주의와 윤리의 문제에 대해 묻고자 하였다. <가>는 가즈오 이시구로『나를 보내지 마』에서 인용한 것으로, 생명공학 기술로 탄생한 인간 클론에 대해 묘사하고 있다. 병든 인간의 치료를 목적으로 탄생한 클론은 보통의 인간처럼 자신의 인생을 설계할 자유를 가지길 원하지만, 인간은 그 클론들이 인간과 같은 자유와 생명의 존엄성을 가지지 못한다고 주장한다. <나>는 생명공학 옹호론이다. 그에 의하면 생명공학 기술은 인간의 치료라는 실질적인 의미에서도, 자유 등 천부인권적인 의미에서도 불가피한 것으로 파악된다. 그런데 <다>는 이와 같은 관점을 인간중심주의로서 비판하고 있다. 인간은 천부인권적인 권리를 가지고 있는 것이 아니며, 주권자인 인간에 의해 모든 권리를 박탈당한 존재로서 동물이 종속된 것이라고 주장하며, 그렇기에 인간의 주권은 역설적으로 동물에 의해 탄생한다는 것이라고 주장한다. 결국, <가>의 인간 클론은 과학기술이 인간중심주의라는 관념 속에서 현실 사회의 윤리적 제한을 넘어설 때 창조되는 존재로서, <다>의 논지로 볼 때 그러한 클론은 인간에 종속된 비주체적 인간이며, 모든 권리를 박탈당한 인간, 즉 '동물'로서, 역으로 과학기술의 인간중심주의를 본질적으로 비판할 수 있는 존재로서 파악할 수 있다.
	수험생 스스로 전세계적으로 확산되고 있는 '민주주의의 위기' 상황을 극복하기 위해 먼저 민주주의를 원리 수준에서 분석하여 내부적 위협 요소를 찾고, 이를 민주주의 발전 역사에서 극복하기 시도했던 노력들을 점검한 후, 가장 최근에 각광 받고 있는 대안의 가치와 효과성을 평가하는 데 출제 의도를 두고 있다. 다음과 같은 능력을 측정하려 한다. (1) 각 시대를 대표하는 민주주의 정치학의 고전에 대한 독해력, (2) 제시문들 간의 관계에 대한 분석 능력, (3) 분석된 내용을 바탕으로 현재의 상황에 적용하고 평가하는 능력

학년도	출제의도
	주제는 '식민주의'이다. 식민주의란 식민 주체의 구성을 통해 제국의 식민 지배를 정당화하는 이념이다. 이 문제는 식민주의 이념이 타자 담론에 근거하여 식민 주체를 '야만적 타자'로 구성하는 방식을 파악하고 이를 통해 제국의 식민 지배에 대해 어떻게 정당성을 부여하는지의 물음을 던지고 있다. 나아가 이 물음에 대한 성찰적 인식을 바탕으로 식민주의 이념이 이른바 '고전'으로 일컬어지는 문학 작품 속에서 어떻게 구현되어 나타나고 있는지를 비판적으로 분석할 것을 요구함으로써 '고전'에 대한 비판적 이해 능력을 평가하기 위해 설계되었다.
2021학년도 수시 논술 2차	글로벌 보건 위기 속에서 생명권과 건강권 보장의 제도적 취약성을 소재로 삼아 세계화 현상을 분석적이고 비판적으로 이해하고 체계적으로 파악할 수 있는가를 고찰하도록 하였다. WTO 체제를 통한 세계화는 신자유주의 이데올로기와 결합하여 자본의 중시와 인권의 주변화 방치 구조를 세계적으로 확립하는 것임을 생각해보게 하였다. 세계화를 핵심어로 삼고, 이론적 입론에 관한 제시문 <가>, 실천적 작동에 관한 제시문 <나>, 현실적 구현 양태에 관한 제시문 <다>를 제공하고, <가>와 <나>를 활용하는 일반 입론의 특정 체계에의 적용, <나>와 <다>를 활용하는 특정 체계의 개별적 구체화 양상, <다>와 <가>를 활용하는 개별적 구체화의 일반 입론 확인이라는 문제 해결의 하강 구도와 상승 구도라는 복합 구도를 논리적이고 체계적으로 다룰 수 있는지를 평가하고자 하였다. 이를 통해 기존 제도의 편향성을 비판적으로 인식하고 그 극복, 즉 공공가치 실현의 정의로운 세계화라는 인식의 지평을 넓히는 기대효과를 예정하였다.
2021학년도 수시 논술 3차	우리가 과거에 있었던 역사적 사건 중 무엇을 기억하고 무엇을 망각하느냐의 문제는 '우리가 누구인가' 하는 정체성의 문제이기도 하다. 우리의 정체성은 우리가 공동으로 기억하는 것을 통하여 능동적으로 구성되기 때문이다. 기억하기 위해서는 역사 서술, 문학 서술, 박물관이나 기념관 등을 통하여 사회 속에서 '이야기'되어야 하는데, 이 과정에서 배제되거나 억압되는 기억이 발생하기도 한다. 오늘날까지도 해결되지 못한 채 있는 역사적 폭력의 사건들, 공적 서사에서 배제된 과거 사건들을 잊지 않고 다시 이야기해 내는 일은 매우 중요하다. 과거의 역사를 '기억하는 일'은 공동체의 의무이기 때문이다. 과거 역사에 대한 공동체의 기억과 정체성 형성 간의 관계를 다루고 있는 <가> 지문과 역사 속에서 배제되고 억압된 기억의 문제를 '이야

학년도	출제의도
	기하기'의 의미를 통해 다루는 <나>지문을 이해하고, 이를 바탕으로 <다>에 나타난 상황, 즉 폭력으로 얼룩진 과거를 지우고 망각하여 새로운 역사를 써 나가려는 공동체와 역사적 폭력의 희생자이자 여전히 해결되지 못한 역사로 인해 그 시간을 벗어나지 못한 채 고통 받고 있는 개인들 간의 갈등을 비판적으로 분석하도록 의도하고 있다.
	편향성이라는 주제로, 현재 인터넷의 검색엔진이 활용하는 필터링 알고리즘이 개인 혹은 기업의 정보습득에 미치는 영향을 비판적으로 분석하는 것임.
	편향적 정보 습득을 더 강화시킬 우려가 있는 현재 디지털 매체환경을 분석하고 인터넷 이용자 혹은 기업, 인터넷 기업관점에서 정보의 편향성에 빠지지 않도록 하는 방안이 있는지 파악하게 함으로써 디지털 미디어 리터러시 개념을 이해하고 있는지 측정하고자 하는 것이 출제 의도임.
2021학년도 모의 논술	디지털 기반 산업으로의 가속화가 이루어지는 산업, 경제구조가 일자리 창출에 미치는 영향에 대해 핵심 논지 파악을 통해 주장의 의미를 이해하고, 각 지문간 연결점을 평가하기 위해 출제하였다. 현재 디지털 기반의 급격한 산업구조, 경제환경 하에서 자동화 인공지능화가 새로운 일자리를 만들어내기도 하지만, 동시에 기존의 다수 일자리를 필요 없게 만들 가능성을 파악하는 능력을 평가하고자 하였다.
	혐오 감정이란 무엇이며 사회적 혐오는 어떻게 형성되고 작동되는가를 설명하는 두 편의 제시문과 실제 혐오의 시선에 노출된 화자의 체험을 서술하고 있는 한 편의 제시문으로 구성되었다. 혐오가 나약하고 유한한 인간이 자신을 지키기 위하여 갖게 되는 본능적이고 원초적인 감정이기는 하지만 이후 사회 안에서 이성적 검토나 엄밀한 인과관계 없이 확장되면서 사회적 약자들에 대한 부당한 차별과 배제로 이어지게 됨을 이해하고 서술하도록 하였다.

III. 논술이란?

1. 논술이란?

1) 논술이란?

어떤 문제에 대해 자기 나름의 주장이나 견해를 내세운 다음, 여러 가지 근거를 제시하여 그 주장이나 견해가 옳음을 증명하는 글쓰기 활동을 말한다. 따라서 논술의 가장 기본적인 요소는 주장과 근거이다. 다시 말해 어떤 주제에 관해서 자신의 견해를 밝히고 자기 의견을 내세우는 글이 바로 논술이다. 때문에 논술은 특별히 논리적이어야 한다는 요구를 받게 된다. 왜냐하면 여러 가지 의견이 있을 수 있는 문제에 대해 자신의 의견을 세워 다른 사람을 설득하려면, 그 주장이 충분한 근거 위에서 논리적으로 개진될 때만 가능하기 때문이다.

2) 대한민국 논술고사는?

한국에서의 대학 입시 논술고사는 실제 교과 과정과 교과서가 기본이 되어 응용된 사고와 풀이 능력과 지식을 바탕으로 한다. 논술고사는 일반적을 비판적으로 글을 읽는 능력과 창의적으로 문제를 설정하고 해결하는 능력 그리고 논리적으로 서술하는 능력을 종합적으로 평가하는 시험이다. 비판적으로 글을 읽는다는 것은 능동적으로 자신의 관점에서 글을 읽는 것을 말하며, 창의적으로 문제를 설정하고 해결하는 능력이란 심층적이고 다각적으로 논제에 접근함으로써 독창적인 사고와 풀이를 이끌어낼 수 있는 능력을 말한다. 그리고 논리적 서술 능력은 글 구성 능력, 근거 설정 능력, 표현 능력 등을 포괄한다.

3) 인문계 논술? 그리고 그 변화

모든 글은 일반적으로 3가지 종류로 나뉘어진다. 시, 소설 등 문학 작품과 같은 글쓰기인 창작적 글쓰기(creative writing)와 설명문이나 해설문의 글쓰기는 해명적 글쓰기(expository writing), 그리고 논설문의 글쓰기인 비판적 글쓰기(critical writing)가 있다. 이 글쓰기 중 대한민국의 대학입시에서 시행되고 있는 인문계 논술은 창작적 글쓰기는 포함되지 않는다. 새로운 문학 작품을 쓰는게 아니라 제시문을 읽고 내용을 구체화시켜 잘 설명하는 설명문의 형태가 있고, 주어진 문제에 대해 생각하고 깊이있는 주장을 피력하는 비판적 글쓰기도 있다.

2. 논술의 기본 용어

1) 논제 : 논술의 문제를 의미한다.
반드시 해결하고 접근하여야 할 논술 시험의 대상이다.
   (ㄱ)   중심 논제 : 채점할 때 가장 배점이 높으며, 핵심적으로 해결해야 할 논술의 문제
   (ㄴ)   세부 논제 : 큰 논제 속에 포함된 작은 문제, 각 단계별 채점의 기준이 되며 세부 채점 항목으로 필수 해결 항목이다.
2) 논거 : 논술에서 설명하고 주장하는 논리적인 근거 혹은 이유

3) 주장 : 수험생이 생각하고 채점자에게 알리고 싶은 생각
4) 제시문 : 보기 지문을 말한다.
　(ㄱ)　　출제자가 논제 해결을 위해 보여주는 다양한 글
　(ㄴ)　　각종 그래프, 도표, 그림 등
　　　　자료가 정해져 있지는 않다. 하지만 고등학교 교과서를 가장 많이 인용하
　　　　고, 고등학교 교과 과정으로 분석하고 판단할 수 있는 내용을 제시한다.
5) 개요 : 논제에 맞게 더 구체적으로는 세부 논제에 맞게 글의 진행 방향을 간략하
　　　게 정리하는 과정이다.

3. 논술의 명령어

논술고사 후 대학의 발표 자료를 보면 논술은 출제자의 의도에 부합하게 글을 써야 한다
고 강조한다. 그런데 출제자의 의도를 파악하는 것은 자칫 상당히 모호하고 주관적인 것
으로 판단하기 쉽다.
　하지만 인문계 논술에서는 명령어가 한정되어 있다. 그 명령어들을 잘 익히고 의미를 파
악한다면 훨씬 논술의 이해가 높아질 것이다. 또한 대학의 채점 기준에는 명령어의 요구
조건을 충족하는지를 평가한다. 그러므로 인문계 논술의 명령어는 수험생에게는 아주 기
초적이지만 필수적이며 절대 잊지 말아야 할 중요한 핵심이다.

1) ~ 에 대해 논술하시오.
　; 주장을 밝히고 근거를 제시한다.

2) ~ 에 대해 설명하시오.
　: 사실, 주장 등을 쉽게 풀어서 밝힌다.

> ● ~ 제시문 간의 관련성을 설명하시오.
> ● ~ 제시문의 논리적 타당성과 문제점을 설명하시오.
> ● ~ 제시문을 참고하여 주어진 자료의 특징을 설명하시오.
> ● ~ 제시문의 관점에서 왜 그런 현상이 생기는지 그 이유를 설명하시오.

3) ~ 의 비교하시오. 혹은 대조하시오.
　: 공통점과 차이점을 중심으로 설명한다.

> ● 　~ 공통점과 차이점을 설명하시오.

4) ~ 을 분석하시오.
　: 주제를 구성요소로 나누고 각 부분의 의미와 상호관계를 밝힌다.

5) ~ 제시문과 주어진 자료를 참고하여 현상을 예측해 보시오.
　: 주어진 자료를 해석하고 자료로부터 얻을 수 있는 시간에 따른 변화나 자료의 발
생 이유를 살핀다.

6) ~ 제시문의 문제점을 지적하고 그 문제점을 해결할 방법을 제시하시
　　오.
　: 보통은 수학이나 과학의 역사에서 발생했던 여러 오류나 실험과정에서 나타난 문

제점을 가지고 있다. 또한 이론이나 실험, 학생의 실험보고서 등과 같이 확실한 오류가 있는 제시문을 주기도 한다. 분명히 문제점을 파악하여 답안에 서술하고 문제점이나 해결할 수 있는 방법 등을 명확히 하여야 한다.

> ● ~ 제시문의 관점에서 왜 그런 현상이 생기는지 그 원리를 설명하고 그런 현상을 예방할 수 있는 방안을 제시하시오.
> ● ~ 문제점을 지적하고 합리적 대안을 제안해 보시오.
> ● ~ 주어진 관점을 검증할 수 있는 방법을 논하시오.
> ● ~ 주어진 문제점을 해결할 수 있는 실험을 설계해 보시오.

　　7) 제시문의 관점에서 주장을 비판하시오.

　　　　: 어떤 주장의 타당성이나 가치 등을 평가한다.

4. 인문계 논술 글쓰기 유의사항

　① 논제의 해결이 핵심이다. 출제자가 원하는 답을 써야 한다.

　② 논제에 부합하는 글을 일관성 있게 써야 한다.

　③ 한편의 글을 완성하여야 한다. 나열하거나 사례를 보여주는 것은 의미가 없다.

　④ 제시문을 활용, 인용하는 것과 제시문을 그대로 옮겨 쓰는 것은 다르다. 적절하게 제시문의 내용을 사용하여 논제를 해결하여야 한다. 절대 제시문의 문장을 그대로 쓰면 안 된다. 금기사항이고 감점요인이다.

　⑤ 부적절한 문장 즉, 비문을 만들지 말아야 한다. 주어와 서술어가 적절하게 있어 문장의 의미를 명확히 전달하여야 한다. 주어를 생략하거나 지시어를 과도하게 사용하면 문장의 의미가 모호해 진다.

　⑥ 문장은 짧고 간결하게 써야 한다. 자신의 의견을 명확히 간결하고 효과적으로 밝혀야 한다.

5. 논술 확인 사항

1. 답안지는 지급된 흑색 볼펜으로 원고지 사용법에 따라 작성하여야 합니다.
(수정액 및 수정테이프 사용 금지)

2. 수험번호와 생년월일을 숫자로 쓰고 컴퓨터용 사인펜으로 ● 표기하여야 합니다.

3. 답안의 작성 영역을 벗어나지 않도록 각별히 유의 바라며, 인적사항 및 답안과

. 관계없는 표기를 하는 경우 결격 처리 될 수 있습니다.

4. 제시된 작성 분량 미 준수 시 감점 처리됨을 유의 바랍니다.

IV. 인문계 논술 실전

1. 각 대학별 논술 유의사항을 파악하라!

많은 대학에서 글자수 제한을 확인하여야 한다. 그래서 원고지 형이 많지만, 문항별 칸을 만들거나 밑줄 답안 형식도 있다. 논술 시험 시간은 각 대학별로 다양하다. 60분 즉, 한 시간을 시작으로 많게는 2시간까지 (120분)까지 다양하게 있다. 대학별로 준비해야 하는 중요한 이유이다. 답안을 작성하는 필기구도 다양하다. 연필(샤프펜)의 사용이 꾸준히 증가하지만 아직까지 검정색 볼펜이나 청색 볼펜으로 사용하는 학교도 많다. 주의할 것은 수정법이다. 수정은 학교에 따라 수정액, 수정테이프의 사용을 제한하는 경우도 있고 틀리면 두줄을 긋고 써야 하는 곳도 있다. 그러므로 각 대학별 특징을 파악하고, 미리 답안 작성 연습은 물론이고 작성할 때도 대학별로 금지하는 내용을 숙지하고 시험장에 가야 한다.

각 대학별 유의사항 사례

사례 1)

가. 답안은 한글로 작성하되, 글자수 제한은 없다.

나. 제목은 쓰지 말고 특별한 표시를 하지 말아야 한다.

다. 제시문 속의 문장을 그대로 쓰지 말아야 한다.

라. 반드시 본 대학교에서 지급한 필기구를 사용하여야 한다.

마. 수정할 부분이 있는 경우 수정도구를 사용하지 말고 원고지 교정법에 의하여 교정하여야 한다.

바. 본 대학교에서 지급한 필기구를 사용하지 않거나, 수정도구를 사용한 경우, 답안지에 특별한 표시를 한 경우, 또는 원고지의 일정분량 이상을 작성하지 않은 경우에는 감점 또는 0점 처리한다.

사례 2)

Ⅰ. 필요한 경우 한 개 또는 여러 개의 제시문을 선택하여 논의를 전개하고, 사용한 제시문은 꼭 참고문헌 형태로 표시하시오.

　　예) …[제시문 1-4].

　　예) …되며[제시문 2-4], …의 경우는 ~을 보여준다[제시문 2-1].

Ⅱ. [문제 1]부터 [문제 4]까지 문제 번호를 쓰고 순서대로 답하시오.

Ⅲ. 연필을 사용하지 말고, 흑색이나 청색 필기구를 사용하시오.

Ⅳ. 인적사항과 관련된 표현을 일절 쓰지 마시오.

Ⅴ. 문제당 배점은 동일함.

사례 3)

◇ 각 문제의 답안은 배부된 OMR 답안지에 표시된 문제지 번호에 맞춰 작성하시오.

◇ 각 문제마다 정해진 글자수(분량)는 띄어쓰기를 포함한 것이며, 정해진 분량에 미달하

거나 초과하면 감점 요인이 됩니다.
　◇ 답안지의 수험번호는 반드시 컴퓨터용 수성 사인펜으로 표기하시오.
　◇ 답안은 검정색 필기구로 작성하시오. (연필 사용 가능)
　◇ 답안 수정시 원고지 교정법을 활용하시오. (수정 테이프 또는 연필지우개 사용 가능)
◇ 답안 내용 및 답안지 여백에는 성명, 수험번호 등 개인 신상과 관련된 어떤 내용, 불필
요한 기표하면 감점 처리됩니다.

사례 4)
　◆ 답안 작성 시 유의사항 ◆
　□ 논술고사 시간은 90분이며, 답안의 자수 제한은 없습니다.
　□ 1번 문항의 답은 답안지 1면에 작성해야 하고, 2번 문항의 답은 답안지 2면에
작성해야 합니다. 1, 2번을 바꾸어 작성하는 경우 모두 '0점 처리'됩니다.
　□ 연습지는 별도로 제공하지 않습니다. 필요한 경우 문제지의 여백을 이용하시기
바랍니다.
　□ 답안은 검정색 또는 파란색 펜으로만 작성하며 연필, 샤프는 사용할 수 없습니다.
　□ 답안 수정은 수정할 부분에 두 줄로 긋거나 수정테이프(수정액은 사용 불가)를
사용해서 수정합니다.
　□ 답안지에는 답 이외에 아무 표시도 해서는 안 됩니다.
　□ 답안지 교체는 고사 시작 후 70분까지 가능하며, 그 이후는 교체가 불가합니다.

2. 제시문에 먼저 눈을 두지 말고 문제를 파악하라!!!

　대학별 고사인 논술의 어려운 점은 시간의 제한이 있는 글쓰기 시험이라는 것이다.
자유롭게 잘 쓸 수 있는 내용일지라도 시간의 제한이 있으면 얘기가 달라진다. 특히
지금과 같이 각 대학별로 다양하게 등장하는 시험에 익숙하지 않은 수험생에게는 더
큰 부담으로 작용을 한다.
　대학에서는 다양하게 제시문과 문제를 분포시킨다. 문제를 등장시키고 제시문이 등장
하는 경우, 그림과 도표, 그래프 등과 같이 자료를 제시하고 제시문과 문제를 함께 등
장시키는 경우, 제시문을 많이 등장시키고 마지막에 문제를 제시하는 경우 등... 이렇
듯 다양한 문제에 시간의 적절한 활용은 대학별 고사의 실전에서는 당락을 결정하는
중요 요소이다.
　이러한 실전적 논술에서 핵심은 바로 목적을 가지고 제시문의 읽기가 선행되어야 한
다. 글 읽기의 핵심은 문제를 통해 논제를 구체적으로 파악하고 그 논제에 부합하게
제시문을 분석하는 것이다.

　① 문제를 먼저 확인하라!! - 제시문을 읽고 문제를 보면 다시 긴 제시문을 또 읽어 시간
을 낭비한다.
　② 세부 논제 확인하라!! - 한 문제라도 그 문제 속에 다루는 논제는 여러 개가 될 수 있

다. 그 질문 내용을 파악하라. 그리고 요구한 논제에 맞게 글을 구성한다.
 ③ 전제적 요건 파악하라!! - 각 문제의 전제적 요건 및 글로 표현된 부연 설명 등이 중요한 키워드가 될 수 있다.

V. 숙명여대학교 기출

1. 2024학년도 숙명여대 수시 논술 (1회차)

> ### 계열 문항 1

<가>

<판결 요약> 배달대행프로그램(애플리케이션)을 설치하고 오토바이를 운전하여 배달 업무를 수행하다가 보행자와 충돌하는 사고를 당하여 재해를 입은 배달대행업체 소속 배달원이 산업재해보상보험법상의 특수형태 근로종사자에 해당하는지가 쟁점이 된 사례. 원고는 배달대행업체를 운영하면서, 음식점 등(이하 '가맹점'이라 한다)에 배달대행프로그램을 설치해 주고, 배달원(피고)은 자신의 스마트폰에 이 애플리케이션을 설치하고 배달 업무를 수행함. 대법원은 배달대행업체의 배달원이 수행한 업무는 가맹점이 애플리케이션을 통하여 요청한 배달요청 내역을 확인하고, 요청한 가맹점으로 가서 음식물 등을 받아다가 가맹점이 지정한 수령자에게 배달하는 것이고, 이는 '프리랜서'의 업무에 더 잘 부합한다고 판결함. 따라서 배달원은 배달대행업체의 지휘·감독 아래 임금을 목적으로 근로를 제공하는 근로기준법상 근로자에 해당한다고 보기 어렵다고 판단함.

<관련 근거> ① 배달원을 포함한 이 사업장 소속 배달원들은 가맹점에서 배달대행 프로그램을 통해 배달요청을 할 경우 그 요청을 선택할 것인지 거절할 것인지 여부를 결정할 수 있었다. 그 요청을 거절하더라도 원고로부터 특별한 제재가 없었고, 이 프로그램에는 위성항법장치(GPS) 기능이 없어 원고가 배달원들의 현재 위치와 배송상황 등을 관제할 수 없었으며, 배송지연으로 인한 책임을 원고가 전적으로 부담하는 것도 아니었다. ② 원고는 배달원들의 업무시간이나 근무 장소를 별도로 정하지 않았다. 나아가 배달원들은 이 사건 사업장 소속으로 수행하는 배달 업무에 지장이 없는 한 다른 시간대에 다른 회사의 배달 업무를 수행하는 것도 가능하였고, 다른 사람에게 배달 업무를 대행하도록 할 수도 있었다. ③ 배달원들은 가맹점으로부터 배달 건당 수수료를 지급받음으로써 그 수익을 얻었고, 별도로 원고로부터 고정급이나 상여금 등을 지급받지는 않았다. ④ 원고는 배달원들과 근로계약서를 작성하지 않았고, 배달원들이 지급받는 수수료에서 근로소득세를 원천징수하지 않았으며, 배달원들에 대해 4대 보험(국민연금, 건강보험, 고용보험, 산재보험)의 보험 관계 성립신고를 하지도 않았다.

<나>

우리나라에서 『근로기준법』, 『노동조합 및 노동관계조정법』등 노동시장 관련법의 근로자 개념은 각 법률의 입법 목적에 따라 약간씩 다르게 정의되어 있다. 판례도 각 법령상의 근로자에 대해 다른 판단 기준을 적용하고 있지만, 기본적으로 <u>현행법상 근로자 판단의 공통된 핵심 개념은 '종속노동', '사용종속관계', '인적 종속성', '경제적 종속성'</u> 등이다. 현행 노동법의 규율 대상은 모든 종류의 노동이 아닌 '노동'이며, 상위개념인 이 종속노동을 수행하며 사용종속관계에 놓여 있는 자를 노동법의 적용 대상인 근로자라고 본다. 또한 사용종속관계에는 인적 종속과 경제적 종속 모두가 포함되어 있다고 설명된다. 즉, 종속노동은 근로자가 그 노동력을 자신의 신체·인격과 분리하여 제공할 수 없기 때문에 노동력 제공 과정에서 사용자의 지휘·감독을 받게 된다는 것(인적 종속)을 의미하고, 근로자는 누군가에게 노동력을 팔지 않고는 살아갈 수 없기 때문에 상대방이 제시한 조건을 받아들여 계약관계를 맺을 수밖에 없다는 것(경제적 종속)을 의미한다.

그런데 플랫폼 노동과 같이 새로운 형태의 노무 제공이 부상함에 따라 여러 새로운 문제들이 부각되고 있으며, 그 중에서도 특히 근로자의 '오(誤)분류'를 둘러싼 법적 논의가 치열하게 전개되어 왔다. 예컨대 우버 택시 기사의 근로자성 인정 여부를 두고 각국 법원에서 논쟁이 있었으며 아직도 진행 중이다. 따라서 노동법이 최초로 정립된 시점으로 돌아가서 종속노동 개념이 처음 착안되었을 당시의 연원과 그 본래적 의미를 확인해 보는 것이 필요하다.

근대의 노동법이 규정하는 종속노동 개념의 성립 과정을 검토하면 다음의 사실을 확인할 수 있다. 첫째, 종속노동은 산업혁명 이후 노동 본질의 변화를 규명하기 위한 개념이다. 근대 이행기의 정치적 변화는 '신분에서 계약으로 (from status to contract)'로 요약되나, 정치적 신분제가 폐지되었음에도 불구하고 현실에서 노동자가 경제적으로 종속된 노동을 통해 생존을 유지해야 하는 상태가 종속노동이라는 이론으로 정립된 것이다. 그러므로 종속노동은 사회의 변화상을 반영한 개념이기도 하다. 둘째, 종속노동에 인적 종속성과 경제적 종속성이라는 요소가 함께 있다면, 종속노동은 인적 종속성만을 강조하고 있다고 보기 어렵다. 근대적 노동법을 정립한 진쯔하이머(Sinzheimer)는 노동자가 생존을 위해 타인의 처분 하에 종속되어 일하는 현실에 대해 이야기하고 있으나, 그의 논지에 따르면 이는 현상에 대한 '묘사'이지 노동법을 적용받으려면 인적 종속성을 꼭 입증해야 한다는 식의 '규범'이 아니라고 보는 것이 옳은 독해다. 진쯔하이머는 실업자처럼 현재 인적으로 종속되어 있지 않은 자들도 노동법이 상정하는 노동자임을 강조하였고, 또한 사용자와 공간적으로 분리되어 직접적으로 감독 받지 않으면서 일감을 받아 일하는 '가내노동자' 역시 노동자라고 보았다. 외견상 비교적 자유로워 보일지라도 경제적 종속성이 존재한다는 점에서 이는 종속노동이라는 것이다. 그러므로 인적 종속성을 종속노동 내지 사용종속관계의 중심 요소로 보아 협소하게 적용하는 해석은 재검토가 필요하다.

<다>

구글, 페이스북, 아마존 등의 플랫폼 기업은 생산과 소비의 두 시장을 교차시켜 지식과 정보, 미디어, 유통 등 다양한 분야에 새로운 사업모델을 도입하였다. 플랫폼이 일단 성립되고 나면 플랫폼은 본격적인 성장을 시작하게 된다. 하지만 이러한 행복은 경쟁자가 시장에 들어오면서 사라진다. 동일한 방식으로 시장에 들어오는 경쟁 플랫폼이 존재하기 때문이다.

플랫폼 경쟁은 두 가지 측면에서 기존의 단면시장과 구별된다. 첫째는 교차 네트워크 효과가 나타난다는 점이다. 우선 네트워크 효과란 네트워크에 속해 있는 참여자들의 가치가 커져가는 현상을 의미한다. 플랫폼은 네트워크를 소유하는 주체이고 따라서 네트워크가 커져간다는 것은 플랫폼의 가치가 커져감을 의미한다. 그런데 플랫폼 경제에서는 생산과 소비 두 시장의 네트워크가 서로 지원하면서 성장해 가기에 교차 네트워크 효과가 발생하게 된다는 의미이다. 둘째는 이런 이유로 규모의 경제가 경쟁에 있어 가장 중요한 요소로 작용한다는 점이다. 경쟁의 본질이 규모의 경제이고 누구보다도 빠르게 규모를 확보하는 것이 중요하기에 플랫폼 경제의 모든 참여자들은 시작부터 스프린터처럼 달려야 한다. 그 결과 플랫폼 경제에서는 중요한 또 하나의 특징이 나타난다. 바로 승자독식의 원칙이다.

이런 식의 플랫폼 경제에서는 시장 참여 주체 간의 호혜적 관계 구축은 애초에 논외였다고 볼 수 있다. 플랫폼 기업이 네트워크 효과를 선점하기 위해 선택하는 방식은 다양한 노동 문제를 야기하고 있다. 플랫폼 노동자 대부분은 프리랜서 내지 독립사업자로 취급되고 있으며, 실제로 일반 노동자와 비슷하게 일하더라도 노동법의 규제나 기업의 사회보험 가입 의무 등이 적용되지 않는다. 게다가 건당 수수료 등의 임금 체계로 인해 플랫폼 노동자가 지나친 위험에 노출될 수 있다. 플랫폼 기업은 경쟁에서 앞서기 위해 이윤을 거의 남기지 않으면서까지 소비자에게 혜택을 제공하는데, 이러한 과정에서 플랫폼 노동자의 몫이 지나치게 줄어들 가능성도 있다. 즉, 플랫폼 기업은 경쟁 과정에서 기존의 고용 관계와 플랫폼 노동자의 노동 기본권을 비켜가며 산업재해 등 위험 비용을 개별 노동자에게 외주화하는 태도를 취하기 쉽다.

<표1> 플랫폼 노동자의 유형별 상위 5개 직종 분포

(단위 %)

	주업형	부업형	간헐적 참여형
배달·배송·운송	82.3	68.5	75.9
가사·청소·돌봄	4.6	5.3	-
전문서비스 (통번역·강사·상담 등)	3.3	14.5	6.2
데이터입력 등 단순작업	2.8	5.9	8.5
IT 관련 서비스	2.7	1.2	2.9
미술 등 창작활동	-	-	5.2

* 주업형: 총수입의 50% 이상, 주당 20시간 이상(31.2만 명)
* 부업형: 총수입의 25~50% 미만, 주당 10~20시간 미만(26.1만 명)
* 간헐적참여형: 총수입의 25% 미만, 주당 10시간 미만(8.8만 명)

<표2> 플랫폼 노동자의 유형별 보험 가입 실태

1) 고용보험

(단위 %)

	주업형	부업형	간헐적 참여형
가입	26.9	25.9	46.3
미가입	58.2	48.4	29.1
모름	14.9	25.7	24.6

2 산재 보험			
			(단위 %)
	주업형	부업형	간헐적 참여형
가입	27.7	28.3	43.6
미가입	52.6	43.6	28.1
모름	19.7	28.1	28.4

<출처> 한국고용정보원, 「플랫폼 노동자의 규모와 근무실태」, 2021.

1-1. <나>의 밑줄 친 '핵심 개념'을 활용하여 <가>의 판결의 <관련 근거>에 대해 설명 하시오. (300±30자)

1-2. <표1>과 <표2>에 나타난 플랫폼 노동자의 상황을 설명하고, 이러한 현상의 문제점 과 해결방향을 <가>~<다>를 통해 설명하시오. (600±60자)

계열문항 2

<가>

　현은 아내의 주장대로 그 송장의 주머니에서 턴 것 같은, 가슴이 섬뜩한 퇴직금이지만, 그것을 밑천으로 토끼를 기르기로 한 것이다. 뉘네 집에서는 처음 단 두 마리를 사온 것이 일년이 못 돼 오십 평 마당에 어떻게 주체할 수 없도록 퍼지었고, 뉘 집에서는 이백 원을 들여 시작했는데, 이태가 못 되어 매월 평균 칠팔 십원 수입이 있다는 것은 현의 아내가 직접 목격하고 와서 하는 말이었다. 곧 광주 가네보 양토부로 제일 기르기 쉽다는 메리켄으로 이십 마리를 주문하였다. 곧 목수를 데려다 토끼장을 짰다. 현은 아이들을 데리고 산으로 가 풀과 아카시아잎을 뜯어 왔다. 두부 장사에게 비지도 맡기었다. 수분 있는 사료만으로는 병이 나는 법이라 해서 건조 사료도 주문하였다. 사흘 만에 이 작고 귀여운 현의 집 새 식구 이십 명은 천장을 철사로 얽은 궤짝에 담기어 한 명도 탈 없이 찾아들었다. 그들은 더위에 할락거리기는 하면서도 그저 궤짝 속이 저희 안도(安堵)인 듯, 밖을 쳐다보는 일이 없이 태연히 주둥이들만 오물거리었다. 자연의 한 동물이라기보다 시험관 속에서 된 무슨 화학물 같았다. 아이들과 아내는 즐기어 끄르며 덤비었으나, 현은 뒤에 물러서서 그 작은, 그 귀여운, 그리고 박꽃처럼 희고 여린 동물에게다 오륙 명의 거센 인생의 생계를 계획한다는 것을 생각할 때 확실히 죄스럽고 수치스럽기도 하였다. (…) 토끼는 듣던 바와 같이 빠르게 번식해 나갔다. 스무 마리가 아카시아잎이 단풍들 무렵에 사십여 마리가 되어 북적거린다. 토끼장도 다시 한 오십 마리 치를 늘리려 재목까지 사들이는 때다.

　문제가 일어났다. 먹이의 문제다. 풀과 아카시아잎의 저장을 충분히 할 수 없어 비지와 건조 사료에 오히려 믿는 바 컸었는데 두부 장사가 가끔 거른다. 오는 날도 비지를, 소위 실적의 반도 못 가져온다. 건조 사료도 선금과 배달비까지 후히 갖다 맡겼는데도 오지 않는다. 콩이 잘 들어오지 않아 두부 생산이 준 것, 그러니 두부 대신 비지 먹는 사람이 는 것, 그러니 비지는 두부보다도 더 귀해진 셈이다. (…) 현의 아내는 억울한 일을 당할 때처럼 며칠이나 얼굴이 붉어 있었으나 결국 토끼를 기름으로써의 생계는 단념하는 수밖에 없었다. 토끼를 헐값이라도 치우기 시작하였다. 그러나 가죽이면 얼마든지 일시에 처분할 수가 있으나 산것 째로는 어디서나 먹이가 문제라 길이 막히었다. 사십여 마리를 일시에 죽이자니 집안이 일대 도살장이 되어야 한다. (…) 더 늘구지나 말고 오래는 걸리더라도 산 채로 처분하는 수밖에 없었다. 산 채로 처분하자니 팔리는 날까지는 어떻게 해서나 굶겨 죽이지는 않아야 한다. 부드러운 풀은 벌써 거의 없어진 때다. 부엌에서 나오는 것은 무청뿐이요 밖에서 얻을 수 있는 것은 클로버뿐이다. (…) 현은 입맛을 쩍쩍 다시다가, "당신이 가기 싫음 내가 가리다. 오륙이 멀쩡해 가지구 미물이라두 기르던 걸 굶겨 죽여야 옳우?"하는 아내의 위협에 아내가 홀몸도 아닌 때라, 또 다른 곳도 아니요 저희 모교 마당에 가서 토끼밥을 뜯고 앉아 있는 정상이 어째 정도 이상으로 가긍하게 머릿속에 떠올라, 그만 대팻밥 모자를 집어쓰고 동저고릿바람인 채 고무신을 끌고, 막 학교에서 돌아오는 큰녀석에게까지 다래끼를 하나 둘러메어 가지고 고개를 넘어 M 여전으로 왔다. 그러나 그것도 잠시 한철이었다.

　현은 어느 책사에 들렀다. 양토법에 관한 책에는 토끼의 도살법까지도 씌어 있기 때문이다. (…) 오는 길로, 옷을 갈아입는 길로, 토끼 한 놈을 꺼내었다. 묵직하고, 포근하고, 따뜻하고, 뼈들컹거리고, 눈을 똘망거리고…… 교미기가 지난 놈들이라 새끼 때의 화학물 감(感), 박꽃 감은 이젠 아니요, 놓기는커녕 웬만침 서투르게만 붙잡아도 삐들컹하고 튕겨져 산으로 치달을 것만 같은 '짐승'이다. 현은 도로 토끼를 갖다 넣고 만다. 암만 생각하여도 그 목을 졸라 쥐고, 뼈들적거리는 것을 이기느라고 같이 힘을 쓰며 뛰어쓰는 눈을 내려다보고 숨이 끊어지기를 기다리는 노릇, 현은 그 목을 졸라 죽이는 법에 자신이 생기지 못한다. 심장이 어드메쯤이라고 그 폭신한 가슴을 더듬어 송곳을 들이박기는, 남의 주사침 맞는 것도 제대로 보지 못하는 현으로는 더욱 불가능한 일이다. 생각할수록 소름이 끼치고, 지금 아내의 뱃속에 들어 있는, 마치 토끼 형상으로 꼬부리고 있을 태아를 위해 이런 짓은 생각만으로도 죄를 받을 것만 같았다.

이태준, 〈토끼 이야기〉

<나>

　경제적 유인이란 사람들이 어떤 경제적 행동을 하거나 하지 않도록 유도하는 자극을 말한다. 즉 사람들이 생산과 소비활동을 할 때 특정한 방식으로 행동하도록 동기를 부여하는 요인이나 제도 등을 의미한다. 합리적인 사람은 비용과 편익을 비교하여 의사 결정을 하기 때문에 비용과 편익을 변화시키는 경제적 유인은 사람들의 행동에 영향을 끼친다. 어떤 행동의 비용을 감소시키거나 편익을 증가시키는 경제적 유인이 주어진다면 그 행동은 더 자주, 더 강하게 나타나게 된다. 시장 경제에서 대표적인 경제적 유인은 가격, 임금, 이윤, 보조금, 범칙금, 과태료 등이다. 경제적 유인은 해당 경제 주체에게 유리하게 작용하여 특정 행위를 더 하도록 유도하는 긍정적인 유인과 불리하게 작용하여 특정 행위를 덜 하도록 하는 부정적 유인으로 나뉜다. 긍정적 유인은 어떤 선택을 할 때 편익의 증가를 통해, 부정적 유인은 편익의 감소를 통해 사람들의 행동에 영향을 준다. 사람들은 편익과 비용을 고려하여 행동하기 때문에 경제적 유인이 변하면 사람들의 행동도 변한다. 예를 들어 시장의 가격 상승은 소비자에게 수요량을 줄이도록 하는 부정적 유인으로 작용하고, 생산자에게는 공급량을 늘리도록 하는 긍정적 유인으로 작용한다.

<다>

　동물의 행동을 연구하는 사람들은 동물에게도 지능이나 문화가 존재한다는 것을 밝히면서 인간과 동물 사이의 근본적인 차이를 부정한다.

　싱어(Singer)는 공리주의 관점에서 동물이 느끼는 고통을 감소해야 한다는 '동물복지론'을 주장한다. 그는 동물도 인간처럼 쾌고(快苦) 감수성을 지닌 존재이므로 도덕적 지위를 갖는다고 본다. 어떤 행동을 할 때 그 행동이 얼마만큼 행복이나 고통을 산출했는가를 중요하게 여기는 공리주의에 근거하여 싱어는 어떤 존재가 감각을 지니고 있다면, 그 존재가 느끼는 쾌락이건 고통이건 그들의 이익은 동등하게 고려해야 한다는 평등의 원리를 제시한다. 그리고 상황에 따라 누가 고통을 더 크게 느끼는지를 보고 더 많은 고통을 느끼는 대상을 우선으로 배려할 것을 요구한다. 동물을 도덕적으로 고려해야 한다는 싱어의 주장이 인간과 동물을 동등하게 처우해야 한다는 뜻은 아니다. 그는 종(種)이 가지고 있는 특성에 따라 다른 처우를 고려하는 것이야 말로 양자를 동등하게 처우하는 것이라고 말했다. 이에 따라 그는 인간의 목적을 위하여 동물을 계속 이용할 수는 있지만 현재 동물에게 부여하고 있는 것보다 훨씬 더 많은 복지를 주어야 한다고 주장했다.

레건(Regan)은 의무론적 관점에서 동물도 존중받을 권리를 갖는다는 '동물권리론'을 주장한다. 그에 따르면 동물은 인간과 마찬가지로 지각과 감정을 지닌 존재이고, 자신의 욕구와 목표를 위해 행동할 수 있는 삶의 주체이다. 삶의 주체로서 동물은 그 자체로 존중받을 내재적인 가치를 지닌다. 그것은 다른 것과 맞바꿀 수 없는 절대적인 가치이기 때문에, 동물은 다른 어떤 목적의 수단이 되어서는 안 되며, 그 자체가 목적이어야 한다. 그에 따르면 정상적인 포유류는 삶의 주체이고, 고유한 권리를 갖는다. 여기서 권리란 삶의 주체인 모든 존재에게 귀속되는 도덕적 권리를 의미한다. 그것은 인간이건, 인간 아닌 동물이건 그와 상관없이 무조건적으로 주어지는 권리인 것이다. 이처럼 내재적 가치가 종을 초월하여 누구나 누릴 수 있는 도덕적 권리 이기 때문에 인간은 동물을 도덕적으로 배려하고 존중해야 할 의무를 갖는다고 레건은 주장한다. 나아가 그는 동물은 침해받지 않을 권리를 소유하기 때문에, 인간의 관행적인 동물 이용은 단순히 규제만 할 것이 아니라 폐지해야 한다고 역설했다.

2-1. <가>에 나타난 '현'의 토끼 사육 결심과 포기를 <나>를 활용하여 설명하시오. (300±30자)

2-2. <다>에 제시된 '동물복지론'과 '동물권리론'을 대비하고, 두 이론을 각각 활용하여 <가>에서 '현'의 토끼 사육 행위를 평가하시오. (600±60자)

숙명여자대학교

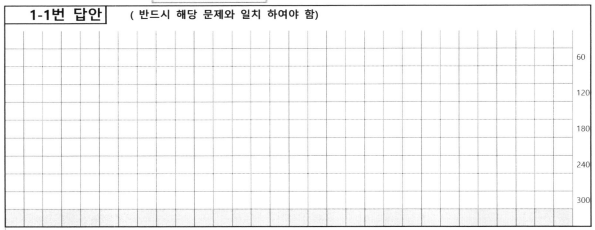

1-1번 답안 (반드시 해당 문제와 일치 하여야 함)

1-2번 답안 (반드시 해당 문제와 일치 하여야 함)

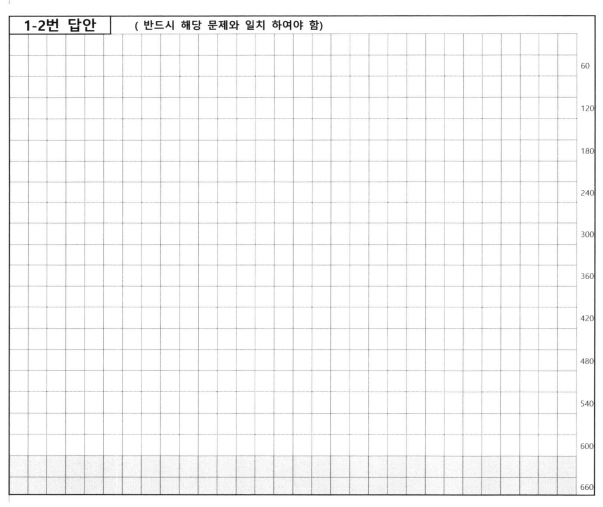

숙명여자대학교

2-1번 답안 (반드시 해당 문제와 일치 하여야 함)

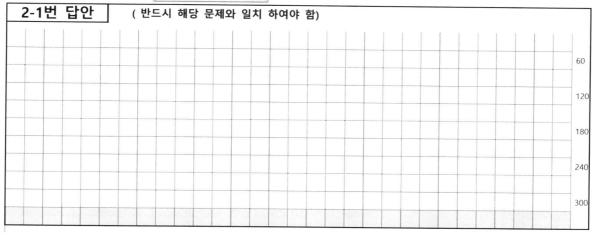

60
120
180
240
300

2-2번 답안 (반드시 해당 문제와 일치 하여야 함)

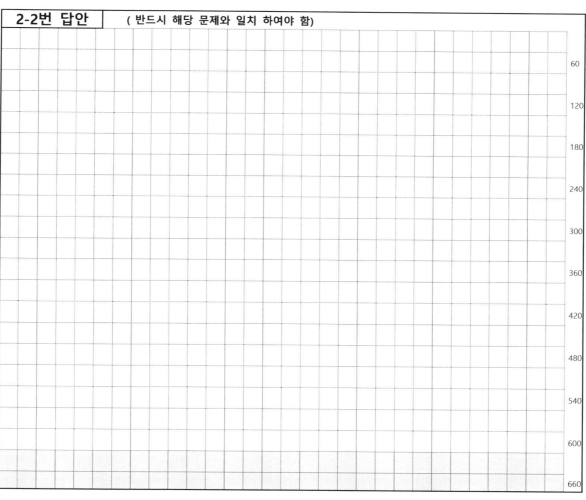

60
120
180
240
300
360
420
480
540
600
660

2. 2024학년도 숙명여대 수시 논술 (2회차)

계열 문항 1

<가>

 코렐(Correll) 등 4명의 연구자는 간단한 비디오 게임을 이용한 세 차례의 실험을 통해 총이나 다른 물건을 들고 있는 흑인이나 백인 표적이 복잡한 배경과 함께 등장할 때, 실험 참가자들이 그 표적에 총을 쏠 것인지를 결정하는 데 표적의 인종이 영향을 미치는지를 연구했다. 연구자들은 이러한 실험 의도가 실험 결과에 미칠 가능성을 배제하기 위해 연구의 목적이 각 참여자의 반응에 대한 민첩성을 평가하기 위한 것이라고 설명했다. 1차와 2차 실험에는 백인만이 참여했고 3차 실험에서는 백인과 흑인이 참여했다.

 각 실험에 앞서 참가자들은 게임에 등장하는 표적이 무장하고 있다면 사격하고, 무장하지 않고 있다면 사격하지 말라는 안내를 받았다. 이어 참가자들은 실험 참여에 앞서 흑인에 대한 개인적 고정관념과 문화적 고정관념의 수준을 측정하는 질문지를 작성한 후, 본 실험에 들어갔다.

 1차 실험 결과, 참가자들은 무장한 백인 표적보다는 무장한 흑인 표적에 총을 더 빨리 쏘았으며, 비무장 흑인 표적보다는 비무장 백인 표적일 때 총을 쏘지 않겠다는 결정을 더 빨리 내렸다. 2차 실험에서는 게임 응답 제한 시간을 0.85초에서 0.63초로 조정해 참가자들이 더 신속하게 결정을 내리도록 함으로써 오류율을 높이고자 했다. 실험 결과, 참가자들은 무장한 흑인이 표적일 때보다 무장한 백인이 표적일 때 사격을 덜 하는 것으로 나타났다. 반면, 이들은 비무장 백인 표적보다 비무장 흑인 표적이 등장할 때 실수로 더 자주 총을 쐈다. 흑인과 백인이 모두 참가한 3차 실험에서도 1차와 2차 실험과 마찬가지의 결과가 나타났다. 세 차례의 실험에서 참가자들이 무장 표적과 비무장 표적을 구별하는 능력은 표적의 인종에 따라 다르지 않았다. 그러나 참가자들은 백인보다는 흑인 표적에 대해 총을 쏠 것인지를 결정하는 데 느슨한 기준을 적용하고 있었다. 즉, 흑인 표적에 대해서는 총을 쏘기 전에 그가 실제로 총을 들고 있는지에 대한 확신이 덜 필요했다.

 이것은 '슈터 편견(shooter bias)'을 보여주는 사례다. 미국 문화에 존재하는 흑인에 대한 문화적 고정관념을 강하게 믿는 참가자들에게서 이러한 슈터 편견이 더욱 두드러졌다. 반면, 흑인에 대한 개인적 고정관념 수준이 높은 참가자들과 낮은 참가자들 간에는 슈터 편견의 차이가 나타나지 않았다.

<나>

 이중처리이론(dual process theory)은 인간의 정보처리 과정에 직관적 양식(associative mode)과 숙고적 양식(reflective mode)이 작용한다고 가정한다. 두 양식은 서로 다른 기억 시스템에 의해 작동한다. 직관적 양식이 오랜 시간에 걸쳐 경험과 학습을 통해 체득한 지식을 토대로 한다면, 숙고적 양식은 규칙을 기반으로 정보를 처리한다. 직관적 양식은 투입되는 정보를 병렬적으로 빠르게 처리하며, 노력을 거의 또는 전혀 필요로 하지 않는다. 반면, 숙고적 양식은 직렬적으로 정보를 처리하며 복잡한 계산을 비롯해 노력이 필요한 정신 활동으로 흔히 주관적 행위, 선택, 집중과 관련된다. 실제로 대부분의 정보는 직관적 양식을 통해 처리된다. 숙고적 양식은 직관적 양식에 투입되는 정보를 모니터링하는 중요한 기능을 한다. 직관적 양식에 의해 어떤 관련 반응이 생성되지 않으면, 숙고적 양식이 작동해 이후의 판단과 행위를 계산한다. 이때 숙고적 양식은 그 반응을 그대로 수용하거나, 적절한 것으로 여겨지는 다른 반응으로 조정한다. 어떤 반응이 타당한 추론의 규칙을 위반하고 있다면 그러한 반응을 차단하기도 한다. 직관적 양식은 저장된 기억에 대한 접근 가능성에 의존하기 때문에 대상과 관련한 정보를 면밀하게 살펴보지 않는다. 예를 들어, 어떤 성격 묘사를 보고 특정 직업의 전형적인 모습과 유사한지를 알아내는 기술은 언어와 문화를 광범위하게 알아야 하는데 우리 대부분은 그런 지식을 가지고 있다. 그리고 이 지식을 기억에 저장해 두었다가 무의식적으로 아무 때나 꺼내 쓸 수 있다. 인지적 편안함을 느끼는 대신 편향에 사로잡혀 무엇을 믿거나 확신하는 오류 가능성도 커진다. 이에 반해 같은 상황에서 숙고적 양식에 의한 정보처리는 그 정보의 사실이나 타당성을 우선한다. 판단의 오류가 줄어드는 대신 인지적 부담이 커진다.

<다>

미디어는 소수인종에 대해 일부 사실이나 이미지 등을 더 중요하게 부각하거나 아예 존재를 부각하지 않는 등의 여러 방식으로 시청자의 지각, 사고방식, 행동양식에 큰 영향을 미친다. 다양한 인종으로 구성된 미국 사회의 경우 이러한 소수인종 재현의 문제가 중요한 사회적 의제로 대두하고 있다.

예컨대 신문이나 방송은 물론 소셜미디어에서는 인종적으로 코드화된 설명용 쉼표(explanatory comma)를 자주 사용한다. 특정한 표현이 독자들에게 낯설 것으로 여겨지는 경우 쉼표를 사용해 설명을 삽입하는 것이다. 이 쉼표에는 수용자에게 필요할 것으로 추정되는 정보가 포함되는데 백인들의 것 또는 백인적인 것으로 인식되는 것에는 이런 설명이 들어가지 않지만 다른 인종과 관련한 것에는 자주 붙는다. 설명형 쉼표는 미디어의 소수인종에 대한 정형화(prototyping) 문제를 상기시킨다. 미디어는 정형화를 통해 소수인종에 대한 이미지를 생산하고 이를 평범하며 일상적인 것으로 만든다. 뉴스 미디어는 신속하게 뉴스를 만드는 과정에서 이러한 정형화를 더욱 필요로 한다. 드라마나 엔터테인먼트 콘텐츠는 정형화된 소수인종을 이야깃거리로 자주 활용한다. 시청자와 광고주를 만족시키는 것은 물론, 수익성을 증대하고 사업가들과 투자자들을 끌어들이기 위해서도 이용된다.

그러나 미디어에 등장하는 흑인에 대한 정형화와 흑인 외 소수인종에 대한 정형화는 구별되어야 한다. 미디어의 문화적 재현 과정에서 소외되거나 배제되며 혹은 지워지는 현상을 의미하는 상대적 비가시성(relative invisibility)이 특정 소수인종에게 더 강하게 작용하고 있기 때문이다. 소수인종에 대한 정형화를 통해 집단적인 문화 정체성을 만들어 가는 과정에서 인종이 성별이나 국적 등 다른 문제와 함께 재현될 때 상대적 비가시성 문제는 더 두드러진다. 상대적 비가시성의 대상이 되는 소수인종은 미디어에서 자신들을 얼마나 그리고 어떻게 표현하느냐에 영향을 받는다. 그들은 자신들에 대한 또 다른 문화적 고정관념이 존재한다는 것을 알고, 이러한 고정관념 때문에 위축된다. 동시에 상대적 비가시성으로 인해 소수인종에게 무슨 일이 일어나고 있는지, 중요한 문제는 무엇인지 등에 관한 사회적 이해가 부족해진다.

<표1> 살인 사건 피해자 비율

인종	실제 피해자(a)	TV뉴스 속 피해자(b)	차이 (b-a)
흑인	28%	23%	-5%p
백인	13%	43%	+30%p
라틴계	54%	19%	-35%p
⋮	⋮	⋮	⋮
전체	100%	100%	

<표2> 모든 사건 가해자 비율

인종	실제 피해자(a)	TV뉴스 속 피해자(b)	차이 (b-a)
흑인	21%	36%	+15%p
백인	27%	25%	-2%p
라틴계	47%	23%	-24%p
⋮	⋮	⋮	⋮
전체	100%	100%	

* <표1>과 <표2>는 미국 캘리포니아주 로스앤젤레스와 오렌지카운티 지역에서 방송된 범죄 관련 TV뉴스를 무작위 표본으로 선정해 조사한 피해자 및 가해자의 인종에 따른 비율이다. <표1>과 <표2>에 나타난 실제 피해자와 실제 가해자 비율은 캘리포니아주 법무부 범죄통계자료(Criminal Justice Profile)에 근거하였다.

1-1. <가>의 '슈터 편견'을 설명하고, <나>를 활용해 이 현상을 기술하시오. (300±30자)

1-2. <표1>, <표2>의 내용을 분석하고, 그 결과를 <가>와 <다>를 토대로 해석하시오. (600±60자)

<가>

주나라 목왕이 서쪽으로 민정을 살피는 수렵을 나갔을 때에 곤륜산 경계를 넘어 태양이 잠긴다고 하는 엄산까지 가려다가 도달하지 못한 채 왕도로 되돌아오는데 아직 중국 본토에 미치지 못했을 적의 일이다. 도중에 무엇이든 잘 만들 수 있다는 언사(偃師)라는 기술자가 있어서 앞으로 나오라고 불러 왕이 물었다.

"너는 무엇을 가장 잘할 수 있느냐?"

언사가 말하였다.

"신은 오직 명령하시는 바대로 무엇이든 만들 수 있습니다. 그러나 신이 이미 만들기를 끝낸 것도 있사오니 원컨대 왕께서 먼저 한번 보아주시기 바랍니다."

목왕이 말했다.

"내일 가지고 오너라. 같이 한번 보자꾸나."

다음 날에 언사가 왕을 알현하러 왔으므로 왕이 가까이 오라해서 말하였다.

"너와 함께 온 사람은 어떤 사람이냐?"

언사가 대답하여 말하였다.

"신이 만든 인형이온데 연기(演技)를 잘합니다."

목왕이 놀라서 바라보자니, 앞으로 내딛고 걸으며 아래로 몸을 굽히고 머리를 들고 우러러보는 동작이 정말 사람하고 꼭 같았다. 언사가 그 턱을 건드려주니 곧 노래를 부르는 것이 음률과 들어맞고, 그 손을 추켜들면 곧 춤을 추는 것이 절도에 호응되어 천변만화하되 뜻하는 바와 들어맞았다.

총애하는 미희(美姬)와 주위에 따르는 여러 시종들을 데리고 같이 동작하는 것을 관람하였다. 그러한 연기가 끝나갈 무렵 그 인형은 자기 눈을 껌벅거리더니 왕을 좌우에서 모시고 있던 시종을 불러내는 것이었다. 왕이 오싹하여 그 자리에서 인형을 베어 죽이려 하였고 언사는 몹시 두려워 곧바로 그 인형을 해부하여 흩어놓고 왕한테 보여주었다. 모두 가죽과 나무에 아교와 옻칠을 입히고 희고 검고 붉고 푸른색의 단청을 칠 한 것들을 모아 붙여 만들어진 것이었다.

왕이 그 재료들을 자세히 헤아려보니 안쪽에는 심장, 간, 쓸개, 폐 등이요, 밖에는 근육, 뼈마디, 사지, 살가죽, 터럭, 치아 등이 있었는데 다 가짜로 만들어진 물건이었다. 다시 해체된 조각을 모아 합쳐놓으니 처음의 상태와 같아졌는데 왕이 시험 삼아 심장을 떼어놓으면 입이 말을 못하고, 쓸개를 떼어놓으면 다리로 걷지를 못하였다. 목왕은 기뻐하며 말하였다.

"사람의 기교라 해도 이만하면 가히 조물주와 더불어 동등한 경지가 아니겠는가!"

그리고 명을 내려서 왕의 예비 마차에 언사와 그 인형을 태우고 돌아갔다.

<나>

로봇공학자 모리 박사가 펼친 '불쾌한 골짜기' 이론은 다음과 같이 정리 가능하다. 건강한 인간을 인간과의 유사성 100%로 두고, 그에 대해 느끼는 인간의 친화감을

100%로 설정한다. 반대편에는 인간의 외형과는 명확히 다른 산업용 로봇을 놓는데 유사성과 친화감 모두 매우 낮다.

그것을 기준으로 할 때 장난감 로봇처럼 인간의 외형과 움직임을 모방했지만 인간과는 여전히 거리가 있는 기계 장치에는 친화감이 높아진다. 하지만 닮음의 수준이 크게 상승해서 외형이 인간의 모습에 훨씬 근접했을 때, 그리고 그것에 인간을 방불케 하는 움직임이 추가될 때, 가령 '움직이는 손(myoelectric hand)'과 같은 것에 이르면 친화력 수치는 급격히 떨어진다. 인간에 성큼 다가선 이질적 존재로 인해 으스스하고 불안한 지각 상태에 빠지는 것이다. 모리 박사는 이러한 내용을 다이어그램으로 제시했다.

친화감 그래프의 선은 첫 정점까지는 인간과의 외형적 유사성에 비례해서 꾸준히 올라가지만 인공 장치에 인간을 닮은 움직임이 가미되면 골짜기 아래로 뚝 떨어진다. 움직임이 더해지면서 외형의 유사성에 가려져 있던 이질감이 불현듯 지각되기 때문이다. 불쾌한 골짜기는 그 그래프의 낙차를 반영한 개념어다. 가령 자동차의 가속 페달을 밟으면 그에 비례해서 속도가 올라가는 것이 일반적인 관계이지만, 불쾌한 골짜기는 로봇의 인간과의 유사성과 지각자의 친화 관계가 정점을 기점으로 반비례해서 지각자가 불쾌함을 경험하게 된다는 것이다.

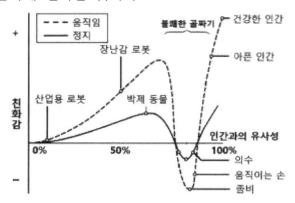

여기서 모리 박사의 이론이 지닌 특이성을 짚고 가기로 하자. 첫째, 그의 고찰은 로봇공학의 일환으로 발표되었지만 체계적인 실험 과정을 거친 것이 아니라 경험적인 내용을 바탕으로 한 가설이다. 즉, 사람들의 일상 경험에 기대어 논리를 폈음에도 불구하고, 역사적으로 검토 가능한 인문학적 사례는 뒷받침되지 않았다. 이에 다양한 분야의 연구를 통해 검토 및 실증할 과제를 남기고 있다.

둘째, 모리 박사가 인간과 기계 장치 사이의 안전한 거리에 주목했다는 점을 간과해서는 안 된다. 그는 논문의 결론에서 무엇이 우리를 인간으로 만드는지 알기 위해 반드시 불쾌한 골짜기에 관한 이해를 도모해야 한다고 못박았다. 그리고 로봇 등 인공 장치들은 그래프의 첫 정점에서 멈춘 디자인을 추구해야 한다는 처방을 내렸다. 가령 안경은 인간의 눈알을 닮지 않았기에 매력적인 디자인의 새로운 눈이 될 수 있었다는 것이다.

<다>

기억해 달라. 내가 기록하는 건 광인(狂人)의 망상이 아니다. 저 하늘에 태양이 빛나는 것과 마찬가지로 지금 내가 확실히 단언하는 사건 역시 실제로 일어났다. 무슨 기적이었는지 모르지만 발견의 단계는 명확하고 개연성이 있었다. 밤낮으로 지독한 중노동과 피로로 점철된 나날을 보내던 나는 드디어 개체 발생과 생명의 원인을 찾아냈다. 아니, 그보다 무생물에 생명을 불어넣는 능력을 갖게 되었다고 해야 옳을 것이다.

생명 없는 육신에 숨을 불어넣겠다는 열망으로 거의 2년 가까운 세월을 온전히 바쳤다. 시체안치소에서 유골을 수집하며, 해부실에서 상당량의 재료를 조달받았다. 사지는 비율을 맞추어 제작하였고, 생김생김 역시 아름다운 것으로 선택했다. 외형이 완성되어 갈수록 녀석에게서 생의 동행자 같은 호감이 깊어갔다.

하지만 다 이루던 순간, 아름다웠던 꿈은 사라지고 숨막히는 공포와 혐오만이 내 심장을 가득 채우는 것이었다. 내가 창조해낸 괴물을 차마 견디지 못하고 실험실에서 뛰쳐나와 오랫동안 침실을 서성였지만, 도저히 마음을 진정하고 잠을 이룰 수가 없었다. 마침내 최초의 격랑이 지나가고 극도의 피로가 찾아왔다. 그래서 옷을 다 걸친 채로 침대에 쓰러졌다.

실험실에서 그가 깨어나던 순간이 또렷이 떠오른다. 아! 사람이라면 그 누구도 그 무시무시함을 견딜 수 없었으리라. 미라도 그 괴물처럼 두렵지는 않았을 것이다. 미완의 상태에서 녀석을 찬찬히 뜯어본 적은 있다. 완벽하다고 할 수 없는 모습이었으나 평온한 느낌이었다. 하지만 근육과 관절이 살아 움직이기 시작하자 그 느낌은 사라지고 단테조차 상상 못했을 괴물로 느껴졌다. 움직임이 그간 깨닫지 못했던 그의 실체를 내 눈앞에 핵 끌어낸 것이리라. 식은땀이 이마를 덮었고, 이가 딱딱 부딪고 팔다리는 경련이 났다. (…)

희미한 노란색 달빛이 억지로 창문 셔터 틈새를 비집고 들어오는 순간, 눈앞에 그 괴물이 보였다. 내가 창조해낸 괴물이. 그는 침대 커튼을 들쳤다. 그 눈은, 꿈쩍도 않고 나만 바라보고 있었다. 뭔가 알아들을 수 없는 소리를 내려하자 뺨이 주름졌다. 무슨 말을 했는지 모르지만 나는 듣지 않았다. 한 손이 뻗처 나왔는데 아무래도 나를 붙잡으려 했던 모양이다. 그러나 나는 뿌리치고 층계를 황급히 달려 내려갔다. 그리고 집에 딸린 안뜰에 몸을 숨기고, 거기서 끔찍한 괴로움에 밤새도록 서성거리며, 귀를 쫑긋 세우고 무슨 소리가 날 때마다 내가 그토록 참담하게 생명을 불어넣은 괴물이 다가올까 두려움에 떨었다.

메리 셸리, 《프랑켄슈타인》

2-1. <가>와 <나>에 나타난 불쾌감의 공통점을 쓰고, 그 극복 방식의 변별점에 대해 기술하시오. (300±30자)

2-2. <다>에 나타난 '나'의 행위 및 심리적 변화를 <나>의 불쾌한 골짜기 이론으로 설명하시오. (600±60자)

숙명여자대학교

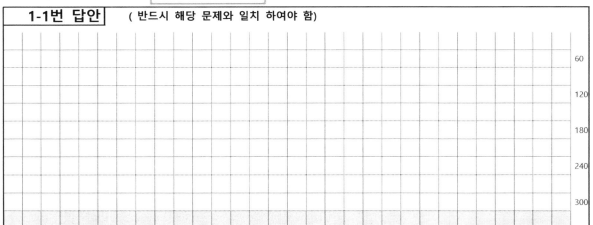

1-1번 답안   (반드시 해당 문제와 일치 하여야 함)

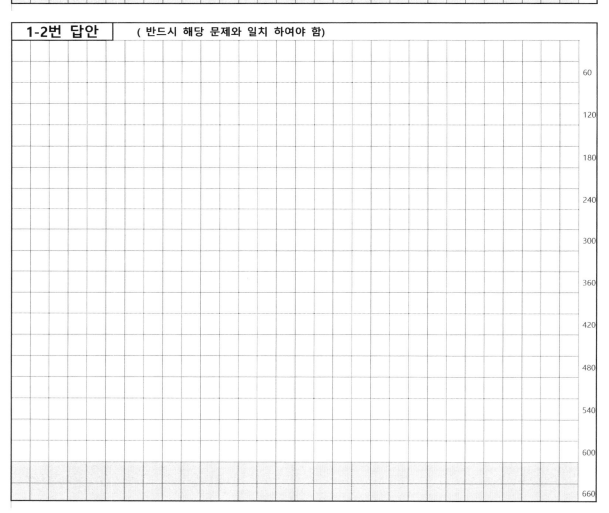

1-2번 답안   (반드시 해당 문제와 일치 하여야 함)

숙명여자대학교

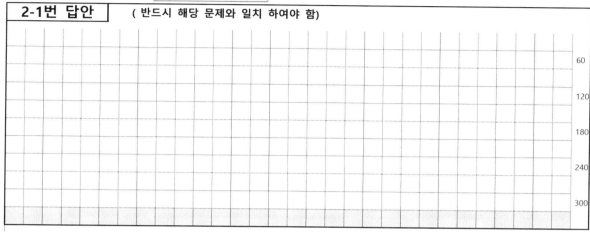

2-1번 답안   (반드시 해당 문제와 일치 하여야 함)

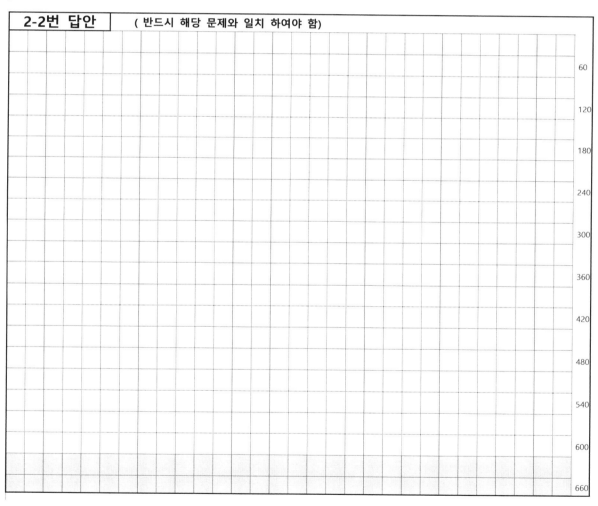

2-2번 답안   (반드시 해당 문제와 일치 하여야 함)

3. 2024학년도 숙명여대 모의 논술

계열 문항 1

〈가〉

촌장 이것, 네가 보낸 거니?

파수꾼 네, 촌장님.

촌장 나를 이곳에 오도록 해서 고맙다. 한 가지 유감스러운 건, 이 편지를 가져 온 운반인이 도중에서 읽어 본 모양이더라. '이리떼는 없구, 흰 구름뿐.' 그 수다쟁이가 사람들에게 떠벌리고 있단다. 조금 후엔 모두들 이곳으로 몰려 올 거야. 물론 네 탓은 아니다. 넌 나 혼자만을 와 달라구 하지 않았니? 몰 려오는 사람들은, 말하자면 불청객이지. 더구나 어떤 사람은 도끼까지 들고 온다더라.

파수꾼 도끼는 왜 들고 와요?

촌장 망루를 부순다구 그런단다. '이리떼는 없구 흰 구름뿐.' 이것이 구호처럼 외 쳐지구 있어. 그 성난 사람들만 오지 않는다면 난 너하구 딸기라도 따러 가 고 싶다. 난 어디에 딸기가 많은지 알고 있거든. 이리떼를 주의하라는 팻말 밑엔 으레 잘 익은 딸기가 가득하단다.

파수꾼 촌장님은 이리가 무섭지 않으세요?

촌장 없는 걸 왜 무서워하겠니?

파수꾼 촌장님도 아시는군요?

촌장 난 알고 있지.

파수꾼 아셨으면서 왜 숨기셨죠? 모든 사람들에게, 저 덫을 보러 간 파수꾼에게, 왜 말하지 않는 거예요?

촌장 말해 주지 않는 것이 더 좋기 때문이다.

파수꾼 거짓말 마세요, 촌장님! 일생을 이 쓸쓸한 곳에서 보내는 것이 더 좋아요? 사람들도 그렇죠! '이리떼가 몰려온다'는 이 헛된 두려움에 시달리는데 그 게 더 좋아요?

촌장 얘야, 이리떼는 처음부터 없었다. 없는 걸 좀 두려워한다는 것이 뭐가 그렇 게 나쁘다는 거냐? 지금까지 단 한 사람도 이리에게 물리지 않았단다. 마 을은 늘 안전했어. 그리고 사람들은 이리떼에 대항하기 위해서 단결했다. 그들은 질서를 만든 거야. 질서, 그게 뭔지 넌 알기나 하니? 모를 거야, 너 는. 그건 마을을 지켜 주는 거란다. 물론 저 충직한 파수꾼에겐 미안해. 수 천 개의 쓸모없는 덫들을 보살피고 양철북을 요란하게 두들겼다. 허나 말 이다, 그의 일생이 그저 헛되다고만 할 순 없어. 그는 모든 사람들을 위해 고귀하게 희생한 거야. 난 네가 이러한 것들을 이해하여 주기 바란다. 만 약 네가 새벽에 보았다는 구름만을 고집한다면, 이런 것들은 모두 허사가 된다. 저 파수꾼은 늙도록 헛북이나 친 것이 되구, 마을의 질서는 무너져 버린다. 얘야, 넌 이렇게 모든 걸 헛되게 하고 싶진 않겠지?

- 이강백, <파수꾼>에서

<나>

투쟁하는 집단은 갈등의 지속이 곧 자기 집단의 생존 조건이기 때문에 부단히 갈등을 유발해야 한다. 집단 내부의 단결을 촉진하기 위해서는 외부 갈등이 객관적으로 존재할 필요는 없다. 집단 구성원들이 힘을 합치도록 하는 데 필요한 것은 그들이 외부의 위협을 감지하거나 감지하도록 환기하는 조건뿐이다. 이때 위협은 실제로 존재할 수도 있고 존재하지 않을 수도 있다. 다만 집단이 위협의 존재를 느끼기만 하면 된다.

개인의 갈등이 어떤 결과를 얻으려는 욕구에 의해서가 아니라 내면적인 긴장 해소 요구에 의해 좌우되는 것처럼, 집단이 적을 찾는 목적은 구성원들을 위해 어떤 실질적 결과를 얻게 하기 위해서가 아니라 단지 자기 집단의 구조를 존속시키려는 데 있다. 심지어 투쟁하는 집단을 생기게 한 초기의 갈등 상황이 어느 정도 해소된 후에도, 그 집단들은 처음 그들이 집단을 만들던 시점의 모습 그대로여야만 한다는 원칙이 있는 것처럼 투쟁적으로 활동한다. 조직이 그 목적을 달성할 수 없으면 스스로 와해해버리게 되지만, 그 목적을 달성하더라도 조직은 어차피 해체될 수밖에 없다. 따라서 해체를 모면하기 위해서 조직은 새로운 목적을 찾아내게 된다.

만약 적이 없어지게 되면 위태롭게 될 집단의 존속을 위해서, 집단은 새로운 적을 찾게 된다. 외부에서 적을 찾아내거나 적의 위험을 과장하는 것과 같은 방식은 단순히 집단 구조를 유지하는 것뿐만 아니라 활력의 저하나 내부 불화로 집단 응집력이 위협을 받을 때 그것을 강화하는 데도 기여한다. 외부와의 첨예한 갈등은 구성원들의 경계 태세를 소생시키고 이탈 경향을 약화시켜서 집단 내 반대자에 대한 일치된 대응 행동을 생성해내기 때문이다.

<다>

<표 1>과 <표 2>는 최근 OOO 국가에서 '집단의 성향 차이에 따라 진짜/가짜 뉴스를 판별하는 것이 어떻게 달라지는가'를 탐구하기 위해 실시한 설문조사 결과를 정리한 것이다. <표 1>은 응답자들에게 서로 다른 6개의 뉴스를 차례대로 제시하고, 그것을 사실이라고 믿는지 거짓이라고 믿는지에 대해 대답한 결과를 집단별로 분류한 것이다. 응답자들은 각 뉴스별로 '완전히 거짓'(1점), '대체로 거짓'(2점), '보통'(3점), '대체로 사실'(4점), '완전히 사실'(5점) 가운데 하나를 선택해서 답했다. A집단과 B집단은 상반된 정치 성향을 갖고 있다.

<표 2>는 여러 대상에 대한 '감정온도' 응답 결과를 집단별로 분류한 것이다. 감정온도는 질문받은 대상에 대해 응답자들이 느끼는 감정을 온도로 답변한 것으로서, 0도에 가까울수록 대상에 대해 차갑게 (부정적으로) 느끼고 100도에 가까울수록 따뜻하게 (긍정적으로) 느낀다.

<표 1> 진짜/가짜 뉴스에 대한 집단별 사실 여부 인식

	1. A집단에 유리한 '진짜 뉴스'	2. A집단에 유리한 '가짜 뉴스'	3. B집단에 유리한 '진짜 뉴스'	4. B집단에 유리한 '가짜 뉴스'	5. 집단별 유불리와 무관한 '진짜 뉴스'	6. 집단별 유불리와 무관한 '가짜 뉴스'
전체	3.38	3.22	2.85	2.81	3.34	2.21
A집단	3.74	3.75	2.39	2.08	3.36	2.17
B집단	3.08	2.80	3.28	3.65	3.56	2.22
여타 집단 (A와 B에 속하지 않는 집단)	3.30	3.12	2.92	2.82	3.21	2.20

<표 2> 대상에 따른 집단별 감정온도

대상	전체	A집단	B집단	여타 집단 (A와 B에 속하지 않는 집단)
나와 정치적 견해가 다른 사람에 대해	49.4	42.3	50.6	51.6
나와 성별이 다른 사람에 대해	60.0	61.2	61.1	59.1
나와 종교가 다른 사람에 대해	54.4	53.8	55.9	54.4
국내 거주 외국인에 대해	54.1	56.5	54.4	53.6

1-1. <가>의 '촌장'의 주장과 <나>의 논지를 요약하고 공통점을 서술하시오. (300±30 자)

1-2. <표 1>에 나타난 A와 B 두 집단의 공통된 특성을 서술하고, <표 1>과 <표 2> 그리고 <나>의 논지를 활용해서 A집단의 특성을 설명하시오. (600±60자)

<가>

  당나라 때의 유명한 화백 대숭(戴嵩)은 면밀한 관찰을 통해 생동감 넘치는 소를 잘 그려서 이름을 떨쳤다. 그 그림들의 가치는 돈으로 따지기 어려울 정도였다. 대숭이 그린 투우도(鬪牛圖) 한 폭이 전해져 내려오다 송나라 재상인 마지절(馬知節)이 이 그림을 소장하게 되었다. 마지절은 그림에 일가견을 가지고 있었기에 고금의 그림을 수집하여 감상하는 것을 큰 즐거움으로 삼았다. 그가 소장한 투우도는 유명한 명인이 오랜 세월의 관찰을 통해 생동감 넘치는 소싸움 모습을 그린 작품인지라 그는 이 그림을 극진히 아꼈다. 혹여 그림에 벌레나 좀이 스는 것을 방지하기 위해 비단으로 덮개를 만들고 옥으로 족자봉을 만들었다고 한다. 그리고 햇빛과 바람이 좋은 날을 택해 자주 밖에 내다 말리며 수시로 일광욕을 시키기도 하였다.

  그러던 어느 날, 대청 앞에 그림을 걸어놓고 바람을 쐬어주고 있는데 소작료를 내려고 찾아온 한 농부가 먼 발치에서 그 그림을 보고는 피식 웃었다. '글도 모르는 무식한 농부가 그림을 보고 웃다니…' 마지절은 화가 나서 농부를 불러 세웠다.

  "너는 대체 무엇 때문에 웃었느냐?"

  농부는 고개를 조아리며 대답했다.

  "그림을 보고 웃었습니다."

  "이 그림을 보고? 이놈아! 이 그림은 당나라 때의 대가인 대숭의 그림이다. 그런데 감히 네까짓게 그림에 대해서 무얼 안다고 함부로 비웃는 것이냐?"

  마지절이 불같이 화를 내자 농부는 겁에 질려 부들부들 떨면서 다음과 같이 대답했다.

  "저 같은 무식한 농부가 어찌 그림에 대해 알겠습니까? 하오나 저는 소를 많이 키워보고 소가 서로 싸우는 장면도 많이 보았기에 소의 성질을 조금 알고 있습니다요. 소는 싸울 때 머리를 맞대고 힘을 뿔에 모으고 서로 공격하지요. 하지만 꼬리는 바싹 당겨 두 다리 사이의 사타구니에 집어넣고 싸움이 끝날 때까지 절대로 <u>빼지</u> 않습니다. 아무리 힘센 청년이라도 소꼬리를 끄집어낼 수 없지요. 헌데 이 그림 속의 소는 꼬리를 뒤로 <u>뺀</u> 채 싸우고 있지 않습니까? 그러니 절로 웃음이…"

  농부의 말에 놀란 마지절은 얼굴을 붉혔다. 그리고 대청에 걸어놓고 일광욕을 시키<u>던 대숭의 그림을 찢어버리며</u> 탄식했다.

  "<u>대숭은 이름난 화가이지만 소에 대해서는 너보다 더 무식했구나.</u> 이런 엉터리 그림에 속아 평생 씻지 못할 부끄러운 헛일을 하고 말았도다. 그간 애지중지했던 내가 정말 부끄럽구나."

<나>

  소 그림 가운데 가장 격렬한 동세를 보이는 것은 역시 싸우는 소다. 호암갤러리 전시에 출품되었던 <싸우는 소>는 이제 막 싸움이 시작되는 장면을 포착한 것이다. 일정한 바탕색을 가한 후에 격렬한 동세에 따라 터치로 윤곽과 근육의 조직 및 꼬리의 모습을 예리하게 묘사해 내고 있다.

  <u>굵은 터치이거나 날카로운 선조에 의하거나 소의 격렬한 동세를 이렇게 단숨에 파악</u>

해 들어간다는 것은 소의 생태, 소의 해부학을 이해하지 않고서는 불가능하다. 쉬고 있는 소와 싸우기 직전이나 싸우는 도중의 소가 갖는 각각 다른 표정, 그리고 움직임에 따른 근육 조직 및 꼬리 등의 변화는 소의 생태와 해부학적 연구가 오랫동안 진척되지 않고서는 파악될 수가 없기 때문이다. 정적인 상태의 것이 아닌 동적인 상태에 놓여 있는 경우는 더욱 까다롭기 마련이다.

이중섭이 몇 번의 터치에 의해 소의 모습을 가장 리얼하게 구현해 낼 수 있었던 것은 그만큼 소에 대한 관찰의 깊이를 말해주는 것이다. 동경 시대부터 소를 모티프로 한 작품들이 등장하고 있는 점으로 미루어 소에 대한 관찰과 스케치는 이미 데뷔기에 시작되었을 것이다. 해방 후 원산 시대에도 여전히 소를 모티프로 한 작품들을 제작하고 있었으며 이때의 관찰은 주변 사람들에 의해 전해지고 있다. 들에 나가 소를 관찰하는데 어찌나 소를 유심히 보는지 소 임자가 소도둑으로 오인해 경찰에 신고했다는 에피소드는 유명하다.

원산 시대 이중섭 주위 사람들은 그가 소만 관찰하고 다닌 것이 아니라 부둣가에 나가 생선과 생선을 파는 여인네들도 열심히 관찰하고 스케치했다고 전하며 집에서 기르는 닭도 열심히 그렸다고 한다. 그리고 보면 이중섭의 작품은 하나같이 관념적으로 이루어진 것이 아닌 현장 스케치를 통한 관찰의 산물임을 알 수 있다. 격렬하게 얽혀 싸우는 소의 동작을 재빠른 붓놀림으로 거의 한숨에 내 달릴 것 같이 표현해내고 있음도 이중섭의 소에 대한 오랜 관찰의 극히 자연스러운 결정체에 다름 아니라고 할 수 있다.

이중섭의 〈싸우는 소〉(호암갤러리 소장)

현실의 소싸움 사진

<다>

언더도그마(Underdogma)는 힘이 약한 사람이 힘이 약하다는 이유로 선량하며 정직하고, 힘이 강한 사람은 힘이 강하다는 이유로 비난받아 마땅하다는 믿음을 가리킨다. 언더도그마는 약자와 강자의 주장이 대립할 때 힘이 약하다는 이유 때문에 무조건 약자 편에 서면서 그 약자에게 신뢰와 정직함을 부여하고, 강자에게는 무조건적인 비난을 보내는 것이다. 랍비인 슈물리 보태악은 언더도그마의 개념을 "둘의 견해가 충돌할 때, 강자보다 약자의 말에 쉽게 귀 기울이며 믿는 것"이라고 했다.

사람들은 오버도그(Overdog)와 언더도그(Underdog), 즉 강자와 약자가 대립할 때, 강자에게 특별한 잘못이 없음에도 불구하고 약자에 우선적인 동조와 지지를 보인다. 이런 증거는 곳곳에서 볼 수 있다. 성서의 다윗과 골리앗 이야기부터 미국 독립운동가, 1980년 동계올림픽에서 세계 최강 소련팀을 물리치고 금메달을 차지한 미국 하키팀, 영화 <록키> 시리즈의 록키 발보아, 자메이카의 봅슬레이팀 등의 사례에서 보듯 많은 이들은 오버도그를 외면하고 언더도그에 호응한다.

이런 현상은 현대의 실제 사회에서도 마찬가지로 나타난다. 대형마트 체인이 동네에 들어설 때 사람들은 일치단결해서 대형마트 경영자를 비난하고 동네에 있는 언더도그 구멍가게 편에 서는 경향이 짙다. 회사 사장과 직원 간 마찰이 있을 때 사람들은 으레 직원의 말에 더 솔깃해한다.

이들의 공통점은 무엇일까? 그것은 두 가치가 충돌할 때 힘이 강한 오버도그를 반사적으로 비난하고 힘이 약한 언더도그의 말에 솔깃하며 그것을 옳다고 여긴다는 점이다.

2-1. <가>의 밑줄 친 부분에서 보이는 마지절의 미덕(美德)을 쓰고, <나>의 글과 그림을 활용하여 그의 행위를 비판하시오. (300자±30자)

2-2. <다>에서 설명하고 있는 핵심 개념과 그 구성 요소들이 <가>의 상황에 적용될 가능성을 타진한 후, 그 적용의 한계에 대해서도 언급하시오. (600자±60자)

숙명여자대학교

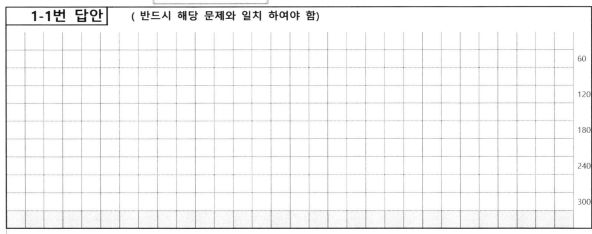

1-1번 답안　　(반드시 해당 문제와 일치 하여야 함)

																								60
																								120
																								180
																								240
																								300

1-2번 답안　　(반드시 해당 문제와 일치 하여야 함)

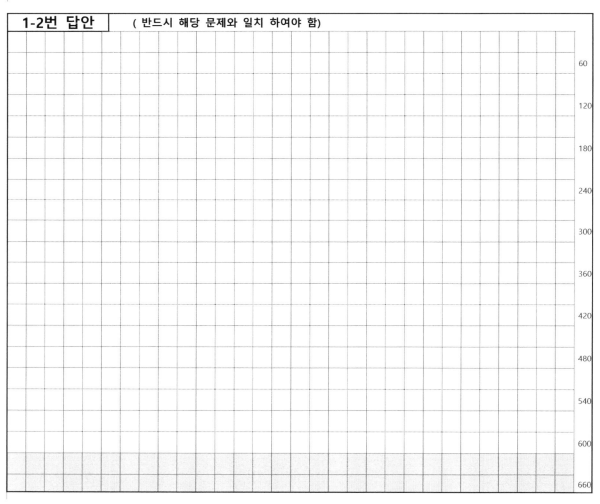

60
120
180
240
300
360
420
480
540
600
660

56

숙명여자대학교

2-1번 답안 (반드시 해당 문제와 일치 하여야 함)

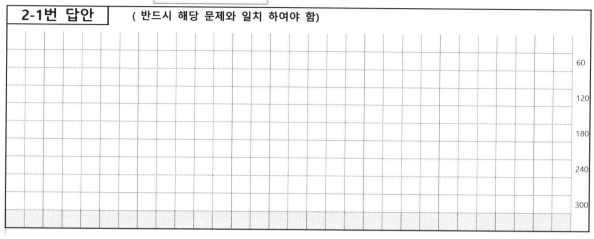

2-2번 답안 (반드시 해당 문제와 일치 하여야 함)

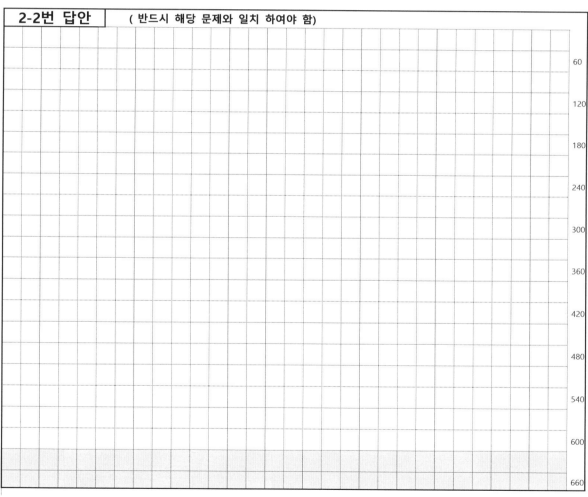

4. 2023학년도 숙명여대 수시 논술 (1회차)

계열 문항 1

<가>

미국과 중국은 경제 규모가 큰 만큼 온실가스를 가장 많이 배출하는 국가다. 2014년 두 국가는 온실가스 배출 한도 설정, 더욱 깨끗한 에너지 연구, 에코-스마트 도시 계획, 수소불화탄소 사용의 단계적 축소 등에 대한 협력을 약속하는 공동성명을 채택하여 국제적 책임에 대응하고 있다.

두 국가가 주도하는 이러한 전략은 구체적으로, 전기자동차, 염수 농업, 탄소 포집(carbon capture)과 재사용, 태양열 발전, 자기부상열차, 도시 생태학, 배양육과 같은 새로운 기술 개발에 집중되어 있다. 예를 들어, '지구공학'이라 불리는 기술 중 '역배출 기술(NETs, Negative Emission Technologies)'은 공기 중 탄소 저감을 위한 탄소 포집과 저장 기술로 기후위기 대응 기술의 중요한 축이다. 또한 동물의 사육 없이 배양육을 생산하는 기술만으로도 큰 효과를 달성할 수 있다. 이를 통해 온실가스 배출을 96% 낮추고, 에너지 사용을 45% 절감하며, 토지 사용의 99%, 물 사용의 96%를 절약할 수 있다. 그리고 두 국가는 탄소세와 탄소배출 허용 한도에 대한 정책 수립, 벌채 감축, 산업 효율성 향상, 열병합발전 및 쓰레기 재활용, 화석연료에서 신재생에너지로의 정부보조금 전환 등의 정책으로 뒷받침하고 있다. 이러한 국가 정책은 기후위기에 대응하는 기술 개발과 그를 통해 새로운 경제 성장을 도모하는 기업의 활동을 적극적으로 지원하고 있다.

태양열과 풍력 발전을 중심으로 하는 신재생에너지 사업에 대해, 전력 공급 안정과 경제적 효율이라는 측면에서 보다 근본적인 문제제기가 되고 있는 것도 사실이지만, 이에 대해서도 기술 발전에 의한 극복 방향이 유력하게 제시되고 있다. 대표적으로 테슬라 CEO인 일런 머스크(Elon Musk)는 '솔라루프'와 '파워월' 등 태양광 기술의 발전과 배터리 에너지 저장 기술을 결합하는 솔라시티의 청사진을 제시하고 추진하고 있다.

우리에게는 기후변화에 적응하고 기후위기를 완화하기 위한 정책과 지속 가능한 경제 성장의 포괄적 개발전략이 필요하다. 그리고 우리에게는 이미 경제 성장을 가속하면서도 기후변화에 대응할 만큼의 지혜가 있다. 우리는 세계 기후변화에 관해 더 나은 결정을 지원하고 현상을 지속적으로 파악하는 집단지성 시스템을 구축할 수 있다.

<나>

코로나19 팬데믹이라는 전 세계적 보건 및 경제 위기 속에서도 기후위기 문제는 점점 더 심화되고 있다. 인도와 방글라데시에서 발생한 사이클론 암판부터 미국의 걷잡을 수 없는 거센 산불까지 극심한 기후재앙은 멈추지 않고 있다. 이는 전 세계가 합의한 파리 협정의 '1.5도(℃) 목표'(지구온난화의 임계점)를 초과하기 직전일 정도로 위험한 상태임을 알리는 강력한 신호가 되고 있다. 옥스팜(Oxfam)과 스톡홀름 환경

연구소(SEI)는 최근 연구를 통해 수십 년간 지속된 극심한 탄소불평등이야말로 이러한 기후위기의 주요 원인이라고 밝혔다. 1990년에 비해 2015년의 연간 탄소배출량은 60% 증가했고, 이 기간 동안 누적 배출량은 2배 증가했다. 향후 배출량이 큰 폭으로 줄지 않는 이상, 2030년에는 탄소예산*이 모두 소진될 것이다 (<그림 1> 참조).

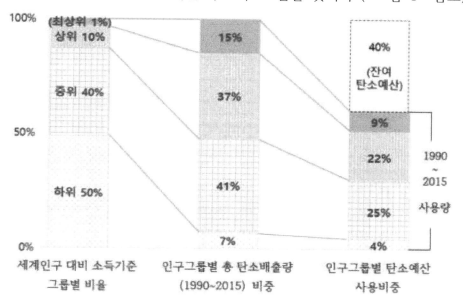

<그림 1> 옥스팜과 SEI의 '탄소불평등' 연구결과

이처럼 지난 2~30년 동안 기후위기는 심화되어 왔으나, 우리에게 주어진 한정된 탄소예산은 사람들을 빈곤에서 벗어나게 하는 데 사용되기보다는 부유한 사람들의 소비를 늘리는 서비스에 허비되어 왔다. 탄소불평등은 이렇듯 내일 당장 다른 모든 사람들이 탄소배출량을 0으로 줄인다고 해도, 부유층이 사용하는 탄소배출량만으로도 몇 년 안에 탄소예산을 완전히 고갈시킬 것이다. 그리고 이 불평등으로 가장 고통받는 사람들은 기후위기에 가장 책임이 없는 두 집단이다. 바로 오늘날 이미 기후위기로 고통받고 있는 전 세계의 가난하고 소외된 사람들과 고갈된 탄소예산과 기후 붕괴를 향해 달려가고 있는 지구를 물려받을 우리의 후손들이다.

따라서 각국 정부는 기후위기와 불평등 해소를 정책의 핵심으로 삼아야 한다. '지속 가능한 발전 목표(SDGs, Sustainable Development Goals)'라는 슬로건 아래 불평등한 경제 성장을 지속하여 탄소불평등 해소에 실패한다면, 이는 통제 불가능하고 돌이킬 수 없는 기후위기의 불길 속으로 뛰어드는 것과 마찬가지다. 구체적으로는 대형 SUV 차량, 비즈니스 클래스 항공편, 개인 전용기 등에 고급탄소세를 부과하는 것부터 디지털 및 대중교통 인프라 확대에 이르기까지, 공공 정책들을 통해 탄소배출량을 줄이고 불평등을 해소하며 공중보건을 증진시킬 필요가 있다.

* 탄소예산: 산업화 이전과 비교하여 지구 평균기온 상승을 특정한 정도로 제한하고자 할 때 배출이 허용될 수 있는 누적 온실가스 배출 총량. 2015년 파리협정과 2018년 '1.5도 특별보고서'에서 채택된 1.5도를 기준으로 탄소예산을 추정함.

<다>

　케이트 레이워스(Kate Raworth)의 이론은 한 가지 질문에서 출발한다. '경제학(economics)'이라는 말은 원래 '살림살이를 관리하는 것'을 의미하는데, 레이워스는 이 개념을 21세기를 살고 있는 인류와 지구 전체의 살림살이로 확장한다. 즉 '지구의 생태적 한계를 고려했을 때, 어느 수준으로 경제가 발전해야 인류 전체가 번영할 수 있을까?'라고 질문하며, 이에 답하기 위해 '도넛 경제 모델'을 제시한다. 레이워스는 가운데 구멍이 뚫린 도넛의 비유를 통해 지구라는 도넛 위에서 인류가 생존하기 위한 조건을 제시하고 있다.

　우선 미래 세대까지 번영하려면 지속 가능성이 반드시 필요하다. 그리고 지속 가능성을 실현하려면 현재 세대는 일정한 한계 내에서 생활해야 한다. 그 한계가 도넛의 바깥쪽, 즉 '지구 한계' 개념에 근거한 '생태적 한계'이다. 근대 이후 인간의 활동은 지구의 생명 유지 시스템에 미증유의 압박을 주고 있다. 지구온난화에 따른 홍수, 가뭄, 태풍, 해수면 상승, 그리고 대기오염과 플라스틱 오염, 생명 종의 멸종에 따른 생물 다양성 손실 등 심각한 문제에 직면해 있다. 또한 현재 세계인구는 2050년에는 100억 명에 달하며 세계 경제 규모는 거의 지금의 세 배가 될 것이다. 이에 따라 건설 자재와 소비제품 수요, 그를 지탱하는 에너지 수요도 급증할 것이다.

　한편 도넛의 안쪽은 물, 식량, 소득, 교육, 보건, 에너지 등 기본적인 '사회적 기초'이며 그것이 불충분한 상태에서 생활한다면 인류는 결코 번영할 수 없다. 사회적 토대가 결여되었다는 것은 자유롭고 좋은 삶을 위한 '잠재 능력'을 발휘할 물질적 조건이 부족하다는 것이다. 또한 사람들이 타고난 능력을 온전히 꽃피우지 못한다면 '공정'한 사회 역시 일궈낼 수 없다. 개발도상국 사람들은 경제적 불안정성과 불평등 상황에 놓여 있으며, 2008년 금융위기로 수백만 명이 일자리, 집, 저축, 안전을 잃어 국제적 불평등 구조는 심화되고 있다. 게다가 '생태적 한계'와 '사회적 기초'는 전 지구적 과정으로 긴밀하게 연관되어 있다. 대표적인 예로, '생태적 한계'에 대응하는 신재생에너지 사업 가운데 전기자동차를 들 수 있다. 그런데 그 필수 원료인 리튬 채굴은 칠레의 생태계를 파괴하고, 담수를 고갈시켜 농업을 주업으로 하는 주민의 일상을 심각하게 위협하고 있다. 지구온난화 방지를 위한 대안인 전기차 보급의 확대가 칠레 현지의 주민에게는 생존권 위협으로 이어지고 있는 것이다. 개발도상국가들이 떠안은 이러한 '사회적 기초'의 파괴에 대해 그들은 대처할 능력이 부족하다. 이런 것들이 21세기 현재 인류의 장래를 만들어 나갈 흐름이다. 이 상황에서 '지속 가능한 미래'를 만들기 위해 우리 인류에게는 어떤 사고방식이 필요할까? 레이워스의 '도넛 경제 모델'은 이처럼 '사회적 기초'와 '생태적 한계'가 균형을 이뤄 발전하는 사회 모델만이 그 해법이 될 수 있다고 제시하고 있다.

1-1. <가>와 <나>에서 제시한 기후위기에 대한 대응의 차이점을 서술하시오. (300±30자)

1-2. <다>와 <그림 1>을 활용하여, <가> 주장의 한계에 대해 설명하시오. (600±60자)

<가>

 자연 상태에서 인간은 타인의 허락을 구하거나 그의 의지에 구애받지 않고, 인간의 이성이라는 자연법의 테두리 안에서 스스로 적당하다고 생각하는 바에 따라 자신의 신체와 소유물을 처분하고 행동할 수 있는 완전한 자유의 상태에 있다. 이 자연 상태는 또한 그 안에서 모든 권력과 권한이 호혜적이며 어느 누구도 다른 사람보다 더 많이 갖지 않는다는 의미에서 평등의 상태이다. 자연 상태의 사람들은 재산 상에서 평등하며, 어떤 종류의 지배-종속 관계도 없이 만인은 그 권리에 있어서 평등하다. 그러나 이러한 자연 상태는 무질서와 방종의 상태가 아니다. 거기에는 자연의 법이 있으며, 바로 이 법인 이성은 모든 인류에게, 인간은 평등하고 독립적인 존재자이므로 어느 누구도 다른 사람의 생명·건강·자유 또는 소유물에 해를 끼쳐서는 안된다고 가르친다.

 자연 안에서 태어나 자연에서 먹고 마실 것, 입을 것과 쉴 곳을 구하는 신체를 지닌 존재로서 인간에게 자연은 삶의 공동의 터전이다. 자연적 이성은 인간이 일단 태어나면 자신의 보존을 위한 권리, 그러니까 고기를 먹고 음료를 마시고, 여타 자연이 그들의 생존을 위해서 제공하는 것들을 취할 권리를 가진다고 일러 준다. 세계를 인류에게 공유물로 준 신은 사람들에게 또한 그것을 삶에 최대한 이득이 되고 편익이 되도록 이용할 이성도 주었다. 따라서 사람들이 노동을 통하여 자연으로부터 최대의 부가가치를 창출하는 것은 자연을 더 풍요롭게 만드는 것으로 이는 자연적 이성에 부합하는 일이다. 근면한 자들은 토지를 개간하여 자연 그대로였던 때보다 수십 배 수백 배의 식품과 옷감을 얻었으며, 그것으로 인류는 유용한 생활필수품을 충당했다. 그런 만큼 각자의 능력에 기반한 노동을 통하여 자연의 가치를 높인 사람이 그 이득을 더 많이 차지하는 것은 정당한 일이다.

<나>

 돌봄이 인간 삶의 기본적인 측면으로 인식되어 모든 정치 이론이 돌봄에 관심을 기울인다면, 민주주의에서 돌봄의 위상은 어떻게 될까? 우리의 삶에서 돌봄이 중심적 위치를 차지한다는 사실을 진지하게 받아들이면서 민주주의를 추구하고자 한다면, 민주정치는 모든 시민이 돌봄 문제에 참여할 수 있도록 그 책임의 분담을 논의의 중심에 두어야만 한다. 돌봄민주주의는 돌봄이 민주주의의 핵심 가치가 되어야 하며, 돌봄의 실천과 책임 분배가 민주적인 방식으로 이루어져야 한다는 민주적 돌봄 윤리에 기반을 두고 있다.

 그동안 많은 학자가 주장해온 바와 같이, 돌봄 윤리가 전제하는 인간관은 기존의 민주정치 담론과는 다른 출발선에서 시작한다. 돌봄 윤리의 관점에서 보면 개인은 관계 안에서의 존재로 인식된다. 개인과 그들의 자유는 여전히 매우 중요할 수 있지만, 그 개인을 마치 모든 것을 혼자 결정하는 로빈슨 크루소처럼 바라보는 시각은 이치에 맞지 않다. 그리고 모든 인간은 취약한 존재다. 어떤 사람은 다른 사람보다 더 취약할 수 있으며, 모든 사람은 삶의 일정 구간에서 신생아나 고령자로서 또는 질병 때문에 극도로 취약한 삶의 구간을 지나게 된다. 사람은 끊임없이 신체 조건이 변화하여 일정한 시기에는 타인의 돌봄과 조력에 의지해야만 한다. 또한 모든 인간은 돌봄의 수혜자이자 제공자이다. 사람은 일생을 통해 돌봄의 필요와 능력이 변화하기는 해도 언제나 돌봄을 주고받는 상호의존적 존재이다. 건장한 성인도 매일 스스로를 돌보거나 타인의 돌봄을 받는다. 한 사회 안에는 돌봄이 절실히 필요한 사람과 타인을 잘 도울 수 있는 사람이 공존한다. 돌봄의 능력과 필요의 처지가 상반되게 변하는 것은 우리의 삶이 시간을 통해 변해가는 과정이다. 이렇듯 인간 모두가 필연적으로 연루되는 사회적 관계망으로 돌봄을 이해한다면, 돌봄의 가치는 궁극적으로 공적 가치임을 어렵지 않게 알 수 있다. 우리의 삶에 돌봄이 없다면 사회도 존속할 수 없다.

독일에서는 2010년대에 접어든 이래로 돌봄의 사회적 관계망에 기초해 경쟁사회를 연대사회로 변화시켜 나가고자 하는 '돌봄 혁명(Care-Revolution)' 논의가 꾸준히 진행 중이다. 한 사회의 무게중심을 이윤의 극대화가 아니라 인간의 필요와 돌봄으로 옮기고자 하는 이 논의는 인간과 인간이 경쟁자로 맞서는 것이 아니라, 각자의 개별적인 삶을 새로운 공동체로 연결하고 구축해 나가는 것을 목표로 한다.

<다>

집에서는 할머니를 돌보고 집안일을 해요. 그러다 보면 학교에서는 피곤해서 수업시간에 집중할 수가 없어요. 학교가 어떤 곳이라고 생각하냐고요? 여러 의견이 있지만, 주변에서는 학교에 가서 열심히 공부해서 자신이 할 수 있는 일을 늘리고 능력을 키우라고 하죠. 그게 사회에 도움이 되는 길이라고요. 이해해요. 하지만 집에 계신 제 할머니는 스스로 할 수 있는 일이 점점 줄어요. 걷지 못하고, 밥을 먹을 수도 없고, 물론 그전에 밥을 차릴 수 없고요. 그 과정에서 이중 잣대라고 해야 할지, 모순적인 상황에 처하게 돼요. 학교는 경쟁을 통한 능력 향상을 중시하지만, 집에서는 그렇지 않아요. 할머니는 보살핌을 필요로 할 뿐, 능력을 키우거나 할 수 있는 일이 늘어날 일은 없으니까요. 그런 사람이 옆에 있으면 마음속에서 갈등이 생겨요. 내 가족이 할 수 없는 일이 점점 늘어가는데, '가치가 없는 사람일까'라는 생각이 서서히 싹트죠. 그렇지만 누군가는 할머니를 돌보아야 하지 않나요. 돌보고 싶은 마음도 있고요. 이런 모순에 가장 많이 직면하는 사람이 '영 케어러*' 아닐까요. 어느 정도 나이가 있으면 이해하는 면도 있겠지만, 어릴 때는 어느 쪽이 좋은지 고민하죠…. 고등학생 때는 직접 말하지 않았지만 속으로 생각했어요. 주변 사람들은 성적을 올리라고, 능력을 키우라고 하죠. 그렇지만 집에 계신 할머니는 능력이 줄어가도 주변 사람들이나 사회가 질책하지 않아요. 대립하는 두 가치관이 있는데, 세상 사람들은 별로 생각하지 않으려고 해요. 노인은 그런 법이라고 얼버무리죠. 저는 그 모순에 대해 깊이 생각해야 한다고 봐요. 흠…. 그런 마음이 있었어요. 엄청난 스트레스였어요. 나는 능력을 키워가고 그러면 좋은 평가도 받겠지만, 집에 함께 사는 사람은 혼자 힘으로 할 수 있는 일이 없어도 질책을 받지 않고, 질책할 수도 없어요. 그러면 대체… 보살핌이 필요한 사람… 여러 가지 일을 할 수 없어도 그걸 비난하지 않고, 차별하지 않고, 배척하지 않는다는 걸 전제로 한다면, 저 역시 능력을 키우는 데 많은 관심을 가질 필요가 없어요. 지금 눈앞에 있는 사람을 긍정하고 존중할수록 '그럼 내 학업과 학교생활은 대체 뭘까?'라는 생각이 들었어요. 학교를 중도에 그만두고 나서는 한쪽 가치관이 보이지 않는 곳이 생겼어요. 그래요… 마음이 아주 편했어요. 고민을 하나로 줄일 수 있으니까요. 눈앞의 사람을 소중히 여기면 되니까. 모순을 보지 않아도 된다는 게….

* 영 케어러(young carer): 고령이나 만성질환, 장애, 정신적 문제, 알코올/약물 의존 등이 있는 가족을 직접 돌보는 18세 미만 청소년을 지칭하는 용어.

2-1. <가>와 <나>에 나타난 인간관을 비교하시오. (300±30자)

2-2. <다>에서 '영 케어러'가 처한 문제적 상황을 설명하고, <나>의 내용을 바탕으로 그 대응 방향을 서술하시오. (600±60자)

숙명여자대학교

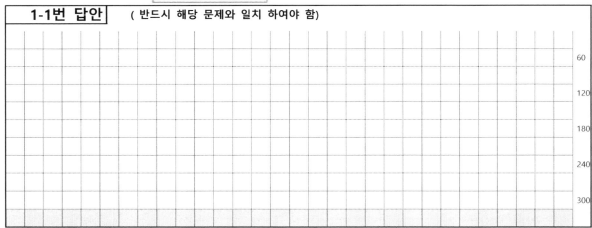
1-1번 답안　　(반드시 해당 문제와 일치 하여야 함)

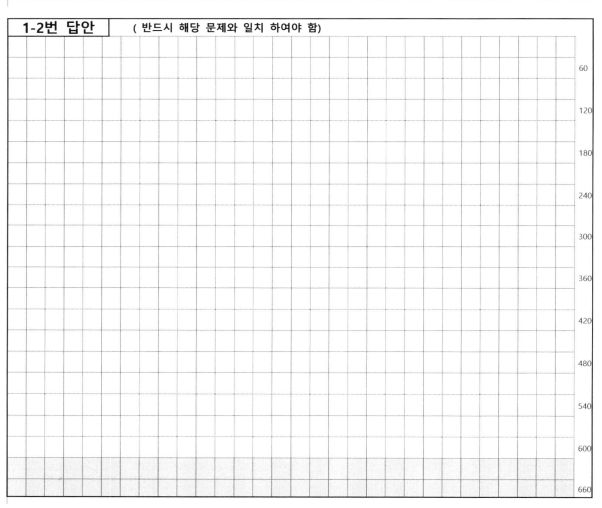

1-2번 답안　　(반드시 해당 문제와 일치 하여야 함)

64

숙명여자대학교

지원학부(과)

수 험 번 호

주민등록번호 앞6자리(예:990812)

분 야

2-1번 답안   (반드시 해당 문제와 일치 하여야 함)

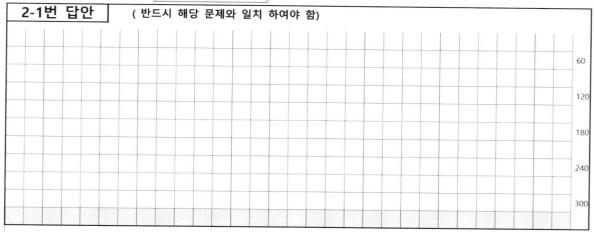

2-2번 답안   (반드시 해당 문제와 일치 하여야 함)

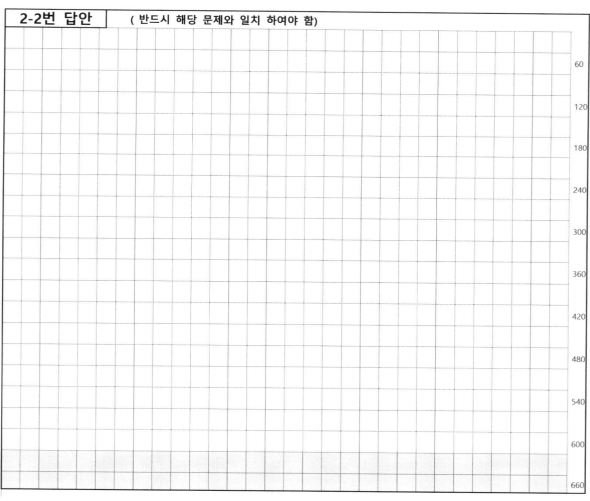

5. 2023학년도 숙명여대 수시 논술 (2회차)

계열 문항 1

<가>

'돈쭐'이란 '돈'과 '혼쭐'을 결합한 신조어로서, 정의로운 일을 하거나 선행을 베푼 소상공인의 제품을 적극 구매하는 행위를 이르는 신조어이다. '돈을 벌게 해주는 것'과 '혼쭐이 날 정도로 바빠지게 하는 것'이라는 두 요소가 결합된 소비인 돈쭐의 대상으로 지목된 가게는 주문이 폭주하고 급격하게 매출이 증가하게 된다. 2018년 '소울워커 기부 대란'을 필두로 2019년 4월 착한 닭갈비, 2019년 7월 파스타 전문점, 2021년 2월 어린 형제에게 온정을 베푼 치킨전문점 등이 돈쭐이 난 업체의 대표적 보기이다.

소비를 통해 사회에 기여하는 긍정적인 이미지를 형성하고 연출한다는 점에서, 돈쭐은 가치소비의 새로운 트렌드로 자리해 가고 있는 미닝아웃(Meaning out) 소비의 한 형태로 볼 수 있다. 미닝아웃은 행위의 의미를 뜻하는 '미닝(meaning)'과 바깥으로 드러냄을 뜻하는 '아웃(out)'의 합성어로서, 소비를 통해서 자신의 신념이나 가치관을 드러내는 것을 의미한다. 돈쭐 소비자는 사회적 책임을 다한 업주와 기업에 긍정적 영향력을 행사하는 소비를 통해 자아존중감을 고양할 뿐만 아니라 신념을 타인과 공유하고 타인의 구매 행동에 영향을 미쳐 궁극적으로 바람직한 사회를 만드는 데 기여하게 된다. 따라서 돈쭐은 가격 대비 효과를 따지는 일상의 경제적 행위가 아니라 사회적 가치를 위해 경제력을 사용하는 미닝아웃에 해당한다. 얼마 전까지 미닝아웃 소비는 주로 친환경 제품 소비에 국한되어 있었는데, 최근에는 환경뿐 아니라 자신의 가치관에 따른 신념 소비를 포괄하고 있다. 그래서 세대 간에도 미닝아웃 소비 경험에서 미세한 차이가 발견되기도 한다. 예컨대, 청년 세대의 미닝아웃 소비는 돈쭐 소비와 슬로건 패션(슬로건을 새긴 옷이나 가방 구매) 등 자신의 가치관이나 견해와 부합하는 사회적 의견을 표출하는 데서 다른 세대에 비해 더 적극적이다. 반면에 다른 세대는 플라스틱 프리, 리사이클링, 업사이클링, 제로 웨이스트, 로컬푸드 등의 환경보호 구매나 공정무역 제품 소비 등에 더 관심을 갖는 편이다.

<나>

부유층 중장년의 브랜드 소비가 지위 확인이라는 욕구의 발현 성격이 강한 데 반해, 청년층의 브랜드 소비는 순수한 자기표현의 성격이 강하다. 흥미로운 것은 이 새로운 소비자들이 자기표현을 통해 자신을 연출하는 과정은 그들이 소비하는 브랜드에 대한 '숭배'와 구분되지 않는다는 점이다. 이들은 숭배 대상인 브랜드의 제품을 소비하면서 자아의 충만함을 경험하게 된다. 이런 점에서 브랜드 소비는 일종의 숭배 의례이다.

브랜드 숭배 의례는 신상품 발표회에서 시작된다. 뉴욕, 파리, 밀라노, 런던에서 유명 브랜드들은 소속 디자이너들의 개성이 담긴 신상품 견본을 공개한다. 공개된 품목별 제품군은 관련 뉴스와 화보·동영상, 그리고 숭배자 집단의 네트워크를 통해 순식간에 전파된다. 자기표현의 나르시시즘을 권장하는 현시대의 브랜드 소비는 지위 확인이나 상승에 의미를 두는 대신 세련된 감성과 미적 가치를 추구한다. 실제 제품이 어떻게 생산되는지는 중요하지 않다. 제품을 착용하는 순간의 강렬한 황홀함에 가려서 그것이 국제적 분업 과정을 거치는 동안 어느 강의 물빛을 변하게 했는지는 묻혀버린다. 즉, 타인의 시선을 의식하지 않는 현대의 브랜드 숭배자들은 오직 즉각적 경험을 통해서 스스로 아름다움의 감각과 황홀함을 추구할 뿐이다. 이러한 충만의 경험은 특히 20~30대 소비자에게서 두드러진다. 소득 수준이 낮아서 브랜드 제품군 가운데 겨우 한 품목만 어렵사리 '장만'하는 소비자 부류, 그것을 구입할 능력을 인정받기 위해 장시간 노동을 기꺼이 감수하는 이들에게조차 개인적 충족의 경험은 절대적이다. 이들은 '신상'(신상품)을 착용할 때 스스로 '블링블링'(반짝반짝 빛난다는 뜻)해지는 경험 자체에 충실하다. 소비도 축적의 한 수단이라는 주장을 비웃듯이, 브랜드 숭배자가 체험하는 느낌은 축적되거나 보존되지 않는다. 최종적으로 소비자들은 브랜드 제품 소유를 통해 자신과 브랜드의 동일시를 완성한다. 그 의례 안에서 숭배자는 자신이 살아온 세계와 상상한 세계가 하나가 되고, 그 순간 성스러움의 세계에서 재탄생하게 되면서 브랜드 숭배 의례의 한 주기가 완성된다.

<다>

 경제적 측면의 합리적 선택은 최소의 비용으로 최대의 편익을 얻을 수 있도록 하는 것이다. 이러한 합리적 선택의 원칙에 따라 가계는 제한된 소득에 맞춰 어떤 물건을 얼마만큼, 얼마를 주고 살지 결정할 때 비용과 편익을 따져보는 소비를 하게 된다 (<그림 1>과 <그림 2> 참조).

 소비 행동에서 합리성은 이러한 경제적 측면뿐 아니라 다른 측면으로도 설명할 수 있다. 인식적 측면과 사회적 측면이 그것이다. 우선, 인식적 합리성은 소비할 물품에 관한 정보를 적절하게 고려해서 자기 목적을 효과적으로 달성할 수 있는 수단이 무엇인지 찾아내는 능력을 뜻한다. 이 측면에서, 소비하기 전에 구매할 물품의 정보를 충분히 수집하고 분석해서 비합리적 소비를 차단하는 것이 중요하다. 인식적 합리성이 부족할 때 발생하는 비합리적 소비 사례로는 필요하지 않은 물건을 가격이 싸다는 이유로 구매하는 경우, 치밀한 사전 계획 없는 상태에서 소비하는 경우 등이 있다.

 다음으로, **사회적 합리성**은 타인과 사회에 대한 책임감과 관계한다. 원자화된 개인이 아니라 사회적 관계 속에서 존재하는 사회적 동물로서 인간은 자기 이익뿐만 아니라 자신이 속해 있는 사회에서 중요시하는 가치를 실현하는 것도 행동의 목적으로 삼을 수 있다. 이러한 관점에서 사회가 지향하는 가치와 환경을 의식하는 소비 행동을 할 수 있는데, 이를 통해서 개인과 공동체가 조화롭게 발전하는 데 기여할 수 있다. 따라서 사회적 합리성을 충족하는 소비는 윤리적 소비와도 통한다.

 소비 행동에서 사회적 합리성을 추구하게 되면, 소비자는 자신의 취향과 선호 대신 사회적으로 추구하는 가치에 따라야 하므로 개인적 만족도는 떨어질 수도 있다. 그런데 모든 개인이 자신의 만족만을 추구하는 소비를 하다 보면, 역설적으로 교역 불평등과 노동 착취 그리고 전 지구적인 환경재해 같은 바람직하지 못한 결과를 초래해서, 결국 자신에게도 손해가 된다. 이렇게 소비자가 경제적 합리성뿐 아니라 환경과 사회적 약자를 고려하는 사회적 합리성을 바탕으로 소비할 때, 시장경제의 원활한 작동에도 이바지하게 된다.

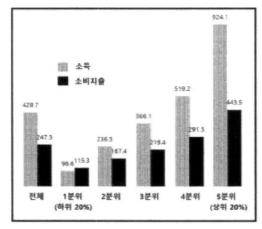

<그림 1> 소득분위별 가계 월평균
소득·소비지출액 (단위: 만 원)

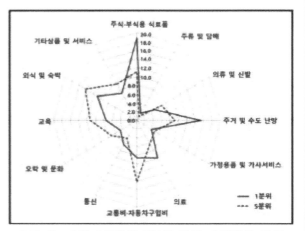

<그림 2> 소득 1분위와 5분위 가계 소비항목 비중
(단위: %)

* <그림 1>과 <그림 2>는 최근의 동일 시기, 동일 대상 조사 결과를 토대로 작성한 것으로 전제함.

1-1. <다>의 '경제적 측면의 합리적 선택'의 관점에서 <그림 1>과 <그림 2>에 나타난 소득 1분위와 5분위 가계의 소비 특성을 설명하시오. (300±30자)

1-2. <가>의 '돈쭐'과 <나>의 '브랜드 숭배'의 공통점과 차이점을 서술하고, 이 소비 행동들을 <다>의 '사회적 합리성'의 관점에서 각각 평가하시오. (600±60자)

<가> 여기부터 기출문제 검토

괴벨스는 라디오와 미디어의 무궁한 잠재력에 눈길을 돌린 소수의 정치가 중 한 명이었다. 모두들 인쇄 매체에 몰두해 있을 때 당시의 뉴미디어였던 전파 매체의 중요성을 수뇌부에 힘주어 강조하고 나선 것이다. 1925년 12월 그가 일기장에 쓴 글을 보면 정치 예언자로서의 재능을 엿볼 수 있다.

"**라디오**, 라디오! 라디오를 각 가정에! 독일인들은 라디오의 소명과 조국을 잊고 있다! 라디오, 그것은 현대적인 투창(投槍) 수단이다! 각 가정에 모두 라디오를! 그것은 창을 던지는 사람 모두의 목표다!"

물론 그의 눈길을 사로잡은 것은 정치 선전과 국민의식 일체화였다. 그래서 나치스 정권이 수립되자마자 방송협회를 수중에 장악하는 일부터 서둘렀다. 괴벨스의 방송 정책은 국유화와 중앙집중화 두 마디로 요약된다. 괴벨스는 이를 위해 가격이 매우 저렴한 국민 보급형 라디오 세트를 대량으로 생산하여 누구나 소유할 수 있도록 보급했다. '국민 수신기'라 불리며 76마르크에 판매된 라디오는, 제조업체에 보조금을 지급해 그들의 통치 기간에 700만 대가 보급되었다. 제2차 세계대전 무렵 독일 가정의 70% 이상이 라디오를 가지고 있었는데, 이는 세계 최고의 보급률이었다. 그는 철저한 방송의 통제라는 면에서도, 그리고 라디오의 양적인 보급에 있어서도 선구자로 기록되는 극단적 인물이다.

라디오 덕분에, 라디오를 십분 활용한 괴벨스의 전략 덕분에 히틀러는 체제 홍보와 국민의식 조작을 용이하게 펼칠 수 있었다. 괴벨스의 방송에 대한 집착은 라디오에 그치지 않고 텔레비전이라는 당시의 첨단 뉴미디어에 도전하게 만드는 계기가 되었다. 그 결과 1935년 3월 22일 세계 최초로 정규 텔레비전 프로그램을 독일 내에서 방영하기 시작했다.

괴벨스는 대중에게 최면을 걸어 자신이 창조한 히틀러 신화를 국민들의 뇌리에 일사불란하게 각인시킨 탁월한 정치기술자였다. 대담한 조명과 대중을 현혹하는 무대장치, 그리고 간결한 리더십의 메시지를 넣어 자연스레 '위대한 지도자'상을 국민들의 뇌리에 심었다. 히틀러가 국가 전체를 효율적으로 통치할 수 있었던 비결은 괴벨스가 구축한 대중 장악력이었다. 독일 국민들은 히틀러의 통제 아래 자신들이 놓여 있다는 사실을 인식하지 못했다.

<나>

'배달의 민족'은 2019년 1월부터 배달 음식점업체의 운영 효율을 높이기 위해 자영업자 매출 관리 기능이 있는 '배민 장부' 서비스를 구축하였다. 업체는 간단한 가입 절차를 거쳐 해당 앱 업주전용사이트의 아이디를 배민 장부에 기입해 로그인하는 방식으로 무료로 손쉽게 시스템에 접근할 수 있다. 이 서비스를 통하여 업체는 신용카드 등으로 결제된 각 카드사별 매출액, 예상 카드수수료나 입금액 등 카드 매출뿐 아니라 주문 수와 조회 수, 통화 수 등도 정기적으로 문자로 받아볼 수 있으며, 일 단위뿐 아니라 월 단위로도 확인이 가능하여 전월 대비 매출액 변화 등 업체 운영에 필요한 다양한 정보를 파악할 수 있다. 이에 따라 매출 관리 및 분석을 편리하게 할 수 있고 대금 입금의 지연이나 누락에 따른 피해를 줄여 유연한 자금 관리도 가능하다.

특히 2019년 7월부터 배달의 민족뿐 아니라 '요기요', '배달통' 등 주요 배달앱의 매출까지 배민 장부로 한 번에 확인 가능해졌다. 이는 기본적으로 배달 음식점업체의 필요를 수용한 결과로, 연계되는 배달의 민족앱뿐 아니라 주요 배달앱을 통한 매출 정보도 한 곳에서 통합 관리할 수 있는 것이다. 향후 근시일 내에 카드 매출 이외에 현금영수증 매출, 휴대폰 소액결제 매출, 각종 페이 매출 등 결제 수단별 내역과 더 많은 배달앱 매출, 홈택스를 통한 세금계산서 발행 등까지 통합 관리하여 고객사를 끌어들일 계획이다.

배민 장부에 자신들의 업체 정보를 기입하여 가입하는 대가로, 배달 음식점업체는 매출 관련 정보를 수집 및 분석할 수 있어 이들에 소요되는 각종 비용을 줄일 수 있다. 이뿐 아니라 새롭고 편리한 서비스를 무료로 이용할 수 있어 매출 관리의 편리성이라는 가치 및 편익 창출이 가능하다. 이에 배달 음식점업체는 지속적으로 장부를 이용하며 의존하게 되는데, 이를 통해 배민 장부는 배달 음식점 시장에서의 지배력을 높일 수 있다.

<다>

상자를 열거나, 주머니를 뒤지거나, 궤짝을 여는 도적을 막기 위해서는 반드시 이것들을 노끈으로 꽉 얽매고 자물쇠를 단단히 채워야 한다. 그래야 그 안의 물건을 지킬 수 있으니 이것이 세상에서 흔히 말하는 도적을 막을 수 있는 지혜이다. 그러나 정작 큰 도적은 궤짝을 짊어지고 상자를 둘러메고 주머니를 통째로 들고 달아나면서 노끈과 자물쇠가 풀려 속의 물건이 흩어지지 않을까만을 걱정한다.

이에 대해 더 논해 보자. 세상에서 말하는 이른바 지자(智者)로서 큰 도적을 위하여 재물을 쌓지 않은 사람이 있던가? 이른바 성인(聖人)으로서 큰 도적을 지켜주지 않은 이가 있는가? 무엇으로써 그러함을 아는가? 옛날 제나라는 이웃 고을이 서로 바라보이고 닭과 개 소리가 서로 들리며, 짐승과 새를 잡으려는 그물이 쳐지는 곳과 쟁기와 괭이로 경작되는 땅이 사방 이천여 리나 되었다. 그리고 모든 사방 국경 안에 종묘와 사직을 촘촘히 세우고 온 나라 안의 마을들을 다스렸으니, 어느 하나라도 지자와 성인이 만든 법과 제도를 본뜨지 않은 것이 있었는가?

전성자(田成子)가 하루아침에 제나라 임금을 죽이고 그의 나라를 도둑질하였다. 그가 도둑질한 것이 어찌 그 나라의 땅뿐이겠는가? 그 성인의 지혜에서 나온 법과 제도까지도 아울러 도둑질하였다. 그러므로 전성자는 도적이란 명칭은 붙여졌어도 몸은 요임금이나 순임금처럼 편안히 지냈다. 조그만 나라는 감히 그를 거스르지 못하여, 12대에 걸쳐 제나라를 통치하였다. 그의 도둑질과 편안함은 무엇으로 가능했는가? 성인의 지혜에서 나온 법과 제도가 온 나라에 잘 뻗쳐 있었기 때문이다.

세상을 위하여 되를 만들어 헤아리면 곧 되를 아울러 쓰면서 도적질하게 된다. 세상을 위하여 저울을 만들어 무게를 달면 곧 저울을 아울러 쓰며 도적질하게 된다. 세상을 위하여 도장을 만들어 믿게 하면 곧 도장을 아울러 쓰며 도적질하게 된다. 세상을 위하여 인의(仁義)로써 그릇됨을 바로 잡으려 하면 곧 어짊과 의로움을 아울러 쓰며 도적질하게 된다. 허리띠 고리를 훔친 자는 처형을 당하지만 나라를 도적질한 자는 왕이 된다. 도적질한 나라 안에는 지혜에서 나온 법과 제도가 존재한다. 지혜로써 만든 법과 제도가 백성을 얽매고 있었기에 나라를 도적질함이 쉬웠던 게 아닌가?

<장자(莊子), 『장자』 중에서>

2-1. <가>의 '라디오'와 <나>의 '장부'의 유사성에 대해 기술하시오. (300±30자)

2-2. <다>에서 경계하는 바를 요약하고, 이를 참조하여 <가>와 <나>가 구축해나가는 사회의 위험성을 기술하시오. (600±60자)

숙명여자대학교

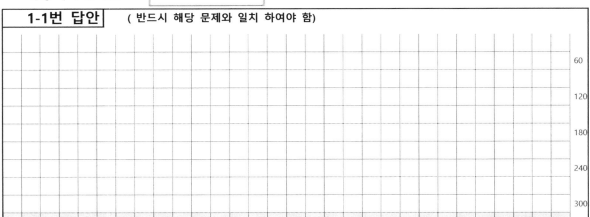

제한목부(일시)		수 험 번 호				주민등록번호 앞6자리(예:)H00512)				
등 록										

1-1번 답안	(반드시 해당 문제와 일치 하여야 함)

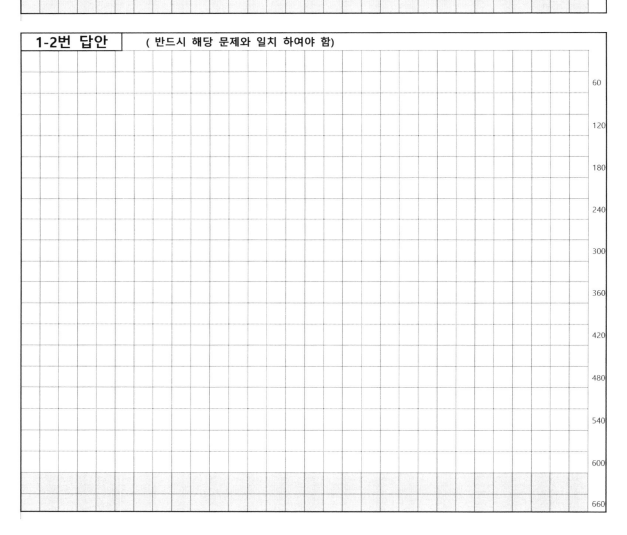

1-2번 답안	(반드시 해당 문제와 일치 하여야 함)

숙명여자대학교

			수 험 번 호				주민등록번호 앞6자리(예:000512)					

과 목

2-1번 답안   (반드시 해당 문제와 일치 하여야 함)

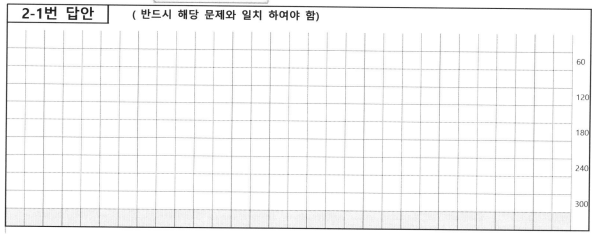

2-2번 답안   (반드시 해당 문제와 일치 하여야 함)

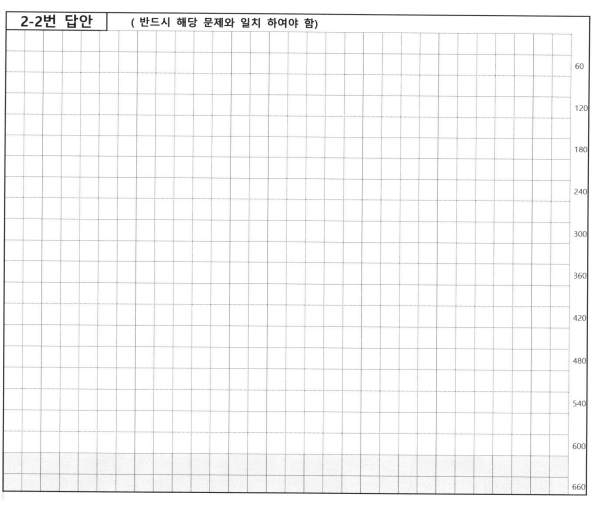

6. 2023학년도 숙명여대 모의 논술

계열 문항 1

〈가〉

존 롤스(John Rawls)는 그의 『정의론』에서 '네 가지 사회 체제'를 제시했다. 이를 교육과 연관하여 해석해 보면, 교육이 역사 속에서 어떻게 변천해 왔는지를 알 수 있고, 앞으로 어떤 방향으로 나아가야하는지를 전망할 수 있다. '자연적 귀족 체제(natural aristocracy)'는 재능이나 노력과 상관없이 혈통을 기반으로 하는 세습적 특정 신분에만 교육 기회가 주어진다. 교육을 통한 자아실현의 계기를 사회의 다른 구성원들에게 평등하게 제공하지 않는다는 점에서 이 체제는 정의롭지 못하다. '자연적 자유 체제(natural liberty)'는 사회의 기본 구조가 자유 시장 논리에 입각한 효율성을 추구할 뿐만 아니라, 재능이 있으면 출세할 수 있는 개방된 사회 체제에 해당한다. 이 체제에서는 자신의 능력을 계발할 기회가 모두에게 주어지기는 하지만, 그 비용을 개인이 전적으로 부담하기 때문에 기회균등이 공정하게 실현되기 어렵다는 점에서 여전히 정의롭지 못하다.

이에 비해 '자유주의적 평등 체제(liberal equality)'는 재능이 있으면 출세할 수 있다는 조건에 '공정한기회균등'이라는 조건을 추가한다. '모두에게 평등하게 개방됨'을 '공정한 기회균등'으로 해석하는 이 체제에서는 개인마다 다른 가정환경 등과 같은 사회·경제적 조건과 상관없이 개인이 자신의 능력을 계발할 수 있는 교육 제도 등을 사회가 마련해야 한다. 그런데, 롤스의 관점에서 볼 때 이 체제는 여전히 자유시장 논리에 토대를 둔 '효율성 원칙'과 결합하여 있으므로, 선천적 지능이나 재능과 같은 타고난 우연성에 의한 사회·경제적 불평등을 초래할 수밖에 없다. 롤스에 의하면 설사 어떤 사람이 자신의 재능과 노력으로 성공하여 부자가 되었다고 해도, 그의 타고난 재능과 그 재능을 계발하려는 노력에서조차도 우연적 요소를 완전히 배제할 수는 없다. 그래서 '민주주의적 평등 체제(democratic equality)'는 공정한 기회균등과 차등 원칙의 결합으로 이루어진다. 롤스는 '공정으로서의 정의'를 실현하기 위해서는 우연성에 의해 산출되는 이익의 불평등을 조정하는 방식, 즉 차등 원칙을 통한 조정이 필수적이라고 생각한다. '자유주의적 평등 체제'는 '효율성 원칙'에 기초하여 주로 절차적 공정성만을 추구하므로, 우연성으로 인한 결과적 불평등을 용인할 수밖에 없는 데 비해, '민주주의적 평등 체제'는 이러한 불평등을 완화하고 극복하기 위해 차등 원칙을 적용한다. '차등 원칙'은 사회·경제적 불평등이 최소 수혜자에게 이익이 될 경우만 정당화된다는 원칙이다. 민주주의적 평등 체제는 공정한 기회균등을 통해 경쟁에서 초래된 교육의 성과가 사회·경제적 혜택으로 과도하게 전이되어 불평등을 초래하지 못하게 하는 방식으로 능력주의 원칙에 일정한 제한을 가하는 사회 제도를 요구한다.

<나>

  제임스 코넌트(James B. Conant)가 본 1940년대 미국 사회는 세습 상류층이 행세하는 세상이었다. 그는 세습 엘리트 체제가 미국이라는 국가의 이상에 반한다고 확신했다. 그는 세습 엘리트 체제가 무너지고 능력주의 체제가 지배하는 사회를 만들고자 했다. 그 시도는 '능력주의 쿠데타'라고 불릴 수 있다. 쿠데타가 성공하기 위해서는 미국의 명문대학이 '가장 재능 있는 학생들을 선발해서 교육하여 사회 지도자로 만드는 능력주의 기관'이 되어야 했다. 코넌트는 실력 있는 고등학생들을 발굴하여 엘리트 대학 과정을 이수하도록 했다. 이를 위해 그는 중서부 공립학교에 '하버드 장학금'을 마련하고, 타고난 지능만을 보고 장학생을 선발하려고 했다. 학업성취도평가(SAT)라고 불리는 이 선발시험은 1차 세계대전 동안 미육군에서 시행한 아이큐 테스트와 유사한 것이었다. 코넌트의 장학 프로그램은 미국 전역으로 확산하였고, 학업성취도 평가는 결국 전국의 대학 입학을 결정하는 데 활용되었다.

  하버드 대학교를 능력주의 기관으로 바꾸려는 코넌트의 시도는 미국 사회를 능력주의 원리에 기반해 재구성하려는 야심 찬 기획의 일부였다. 코넌트는 '계급 없는 사회를 위한 교육'을 제시하면서, '세습 귀족정의 발전'에 의해 위협받은 '기회균등의 원리'를 되찾고자 했다. 코넌트는 프레데릭 터너(Frederick J. Turner)가 처음 사용한 '사회 이동성'이라는 말을 '계급 없는 사회'라는 이상을 정의하는 데 사용했다. 그는 청년들이 부모의 신분이나 경제력과 무관하게 자신의 재능을 마음껏 계발할 수 있다면, 사회 이동성은 높아질 것으로 생각했으며, 교육이 사회 이동성의 도구가 되어줄 것이라고 확신했다.

<다>

<표> 가계 소득수준별 SAT 성적 분포(미국, 2010년)

소득 규모	독해 점수	수학 점수	작문 점수
2만 달러 미만	437	460	432
2만 - 4만 달러	465	479	455
4만 - 6만 달러	490	500	478
6만 - 8만 달러	504	514	492
8만 - 10만 달러	518	529	505
10만 - 12만 달러	528	541	518
12만 - 14만 달러	533	546	523
14만 - 16만 달러	540	554	531
16만 - 20만 달러	547	561	540
20만 달러 초과	568	586	567

<그림> 미국의 고소득층과 저소득층 대학 입학률과 졸업률

75

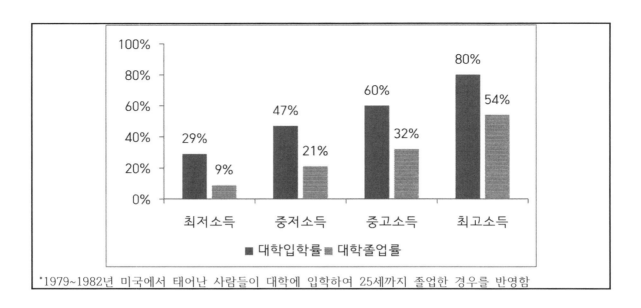

*1979~1982년 미국에서 태어난 사람들이 대학에 입학하여 25세까지 졸업한 경우를 반영함

〈가〉

　죽은 사람들에 대한 터부는 대부분의 야만족들에 있어서 특별히 지독한 것이다. 이것은 상을 당한 사람들을 대하는 태도에서 분명하게 드러난다.

　마오리족의 경우에 시체를 다루거나 시체를 무덤에 안치시키는 일을 한 사람은 누구나 극히 부정(不淨)하여, 다른 이웃들과의 왕래가 거의 단절된다. 달리 표현한다면 이웃에 의해 배척된다. 그는 어떤 집에도 들어갈 수 없으며, 다른 사람이나 물건을 접할 수 없다. 그가 접한 모든 것은 모두 그처럼 부정해진다. 그는 자기 손으로 음식을 집어 먹을 수조차 없다. 그의 손은 부정하기 때문에 그 손이 닿은 음식물은 못 쓰게 된다. 사람들이 음식을 바닥에 놓아두면, 부정한 사람은 뒷짐을 지고 무릎을 꿇고 최선을 다해 입술과 이를 사용하여 먹어야 한다. 때때로 다른 사람이 음식을 먹여 주는 경우도 있는데, 이때 그 사람은 팔을 가능한 한 쭉 펴서 몸이 직접 닿지 않도록 조심을 한다. 그렇게 조심해도 이 도움을 준 사람 역시 도움받은 사람만큼 심하지는 않아도 결코 가볍지 않은 제약들을 감수하여야 한다.

　인구가 많은 마을에는 거의 어디에나 사회로부터 배척을 받고 간혹 베풀어지는 자선의 덕으로 아주 비참하게 사는 사람이 마을마다 있었다. 이 사람만이 죽은 자에 대한 마지막 의무를 치른 사람에게 음식을 먹일 수 있었다. 상을 치른 사람이 괴로운 격리 기간이 끝나 다시 마을로 들어와 사람들과 어울려 살게 되면 그동안 사용했던 그릇들을 모두 깨버리고 입었던 옷들도 모두 없애야 한다.

〈나〉

　주술(呪術)은 두 대상이 지닌 관념적 연관을 물리적 연관으로 간주한다. 우리는 이 특징을 두 종류의 주술 행위들에 비추어 설명해 보고자 한다. 적을 해치기 위한 가장 널리 퍼져 있는 주술 절차들 중의 하나는 임의의 재료로 적의 모상(模像)을 만드는 것이다. 이 모상에 해를 끼치면, 미움의 대상이 되는 본상(本像)에 같은 효과가 일어난다. 모상의 어떤 신체 부위를 손상시키면 본상에서 그에 해당하는 부위가 병이 든다. 이 같은 방식을 지닌 또 다른 예로 원시 민족들 사이에서 큰 역할을 하였으며, 보다 발전된 문명 단계의 신화와 의례에도 부분적으로 남아 있던 한 주술 행위를 들 수 있다. 그것은 비를 내리게 하는 주술이다. 이들은 비를 흉내내거나 비를 내리게 하는 구름이나 폭풍을 모방함으로써 비를 만들려고 한다. 일본 아이누족의 경우에 한쪽 편 사람들은 채로 물을 뿌리고 다른 편 사람들은 사방에 돛과 노를 달고서 마을과 밭 주변을 폭풍 속에서 배가 흔들리듯 돌아다니는 방법으로 비를 내리게 한다.

두 번째 부류의 주술적 행위들에서는 위와 같은 원리가 고려되지 않는 대신 다른 원리가 작용한다. 일부 주술 집단의 경우 적에게 해를 주기 위해서 그들과 접촉해 있던 갖가지 물건들을 활용한다. 적의 머리카락, 손톱, 또는 입던 옷의 일부라도 손에 넣어서 이것에 해를 가한다. 그렇게 하면 이것은 마치 그 인물을 직접 장악한 것처럼 된다. 그의 소유물에 가해진 해는 그 당사자에게도 반드시 일어난다. 이름을 활용한 주술도 마찬가지의 원리를 가지는데, 미개인들의 관점에 따르면 이름은 한 인물의 가장 중요한 부위의 하나이다. 그러므로 어떤 사람이나 정령의 이름을 알면 그 이름의 임자를 지배하려는 어떤 힘을차지한 셈이다. 주술 사회에서 보이는 이름과 관련된 이상한 주의점들과 제약들은 여기에서 기인한다. 한편 이 원리에서 파생된 주술도 있다. 임신부에 대한 금기가 그것이다. 주술적인 일부 부족에서는 임신중인 여자는 어떤 동물의 고기를 먹지 말아야 한다. 왜냐하면 동물의 바람직하지 않은 성질이, 예를 들어겁쟁이 기질이, 그로 인해 태아에게로 옮겨질 수 있기 때문이다.

〈다〉
비유는 언어의 문제를 넘어 인간 사고의 인지적인 현상과 관련되어 있다. 일반적으로 비유는 한 대상을 통하여 다른 대상을 환기(喚起)시키는, 즉 두 사물을 연결하여 인지하는 구조로 되어 있는데, 이러한 구조는 근본적으로 사물의 인접성과 유사성에 근거를 두고 있다.

비유는 어떤 대상을 환기하기 위하여 일반적으로 다른 실재물을 사용한다. 환기되는 대상은 구체적일 수도 있으며 추상적일 수도 있다. '(a) 안경은 신이 났다, (b) 법은 미물(微物)들만 걸리는 그물이다'란 예시를 보자. (a)의 '안경'은 '안경을 쓴 사람'을, (b)의 '그물'은 '법'을 의미하는데, 이 경우 '안경을 쓴 사람'은 구체적이라 할 것이고, '법'은 추상적이라 할 것이다. 한편 (a)와 (b)는 중요한 다른 본질적 차이를 가지고 있다. '안경'은 환기하는 대상이 공간적으로 서로 접하여 있지만, '그물'은 환기하는 대상이 유사한 속성을 지닌 별개의 개념이라는 것이다. 그러나 어느 쪽이나 대상을 환기하여 듣는 이의 공감을 유발하려는 목적을 지니고 있다는 점은 동일하다.

상론해 보자. 비유를 가능하게 하는 가장 핵심적인 것 중 하나는 인접성이다. 이는 비유 과정에서 선택되는 수단으로서의 '매개체'와 이를 통해 이해의 대상이 되는 '목표' 사이의 관계를 일컫는 말이다. '매개체'는 보통 지각적으로 현저하고 눈에 보이는 구체적 실례로서 위 예 (a)에서 보이는 '안경'이 이에 해당하며, 이해의 대상이 되는 '안경을 쓴 사람'은 '목표'가 되는데, 이 둘은 공간적으로 인접해 있다. 또 다른 핵심적인 자질은 유사성이다. (b)에 나타난 법과 그물은 원래는 서로 다른 개념들이다. 그러나 '법'이란 '목표'는 '그물'을 '매개체'로 하여 성공적으로 표현되고 있다. 법을 이해하는 데 그물을 이용하는 것은 둘 사이에 개념적 관련이 있기 때문이다. 법의 속성은 그물을 통하여 보다 쉽게 이해되는데 그것은 '법'과 '그물'이 우리가 인지적으로 연결할 만한 공통의 구조를 지니고 있는 점에 기인한다. 결국 이 두 원리를 주된 특성으로 하여 비유는 우리의 인지에 작동하며, 공감의 영역 또한 넓혀 간다.

2-1. 〈나〉의 개념 중 하나를 활용하여 〈가〉의 행위를 설명하시오. (300±30자)

2-2. 〈나〉의 '주술'과 〈다〉의 '비유'의 공통점과 차이점에 대해 설명하시오. (600±60자)

숙명여자대학교

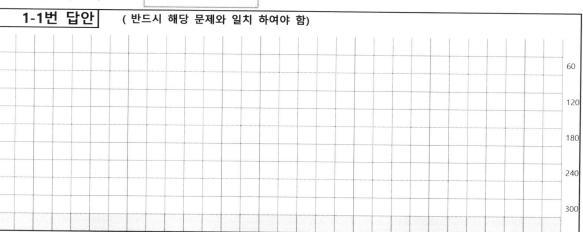

1-1번 답안   (반드시 해당 문제와 일치 하여야 함)

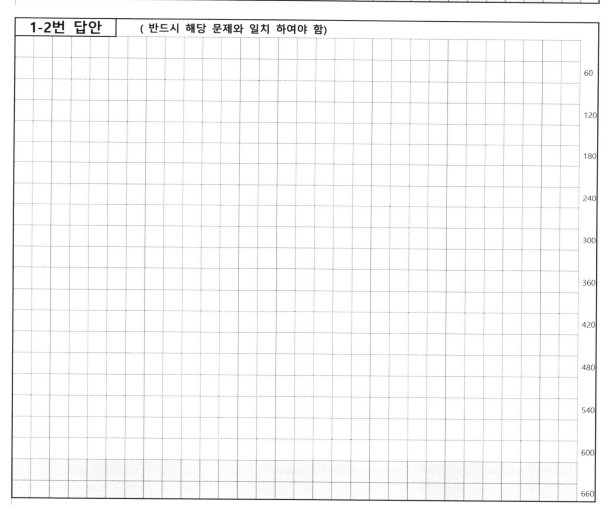

	60
	120
	180
	240
	300

1-2번 답안   (반드시 해당 문제와 일치 하여야 함)

	60
	120
	180
	240
	300
	360
	420
	480
	540
	600
	660

숙명여자대학교

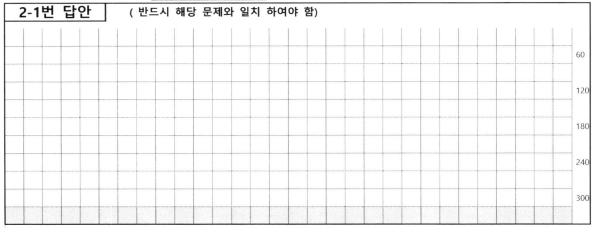

2-1번 답안 (반드시 해당 문제와 일치 하여야 함)

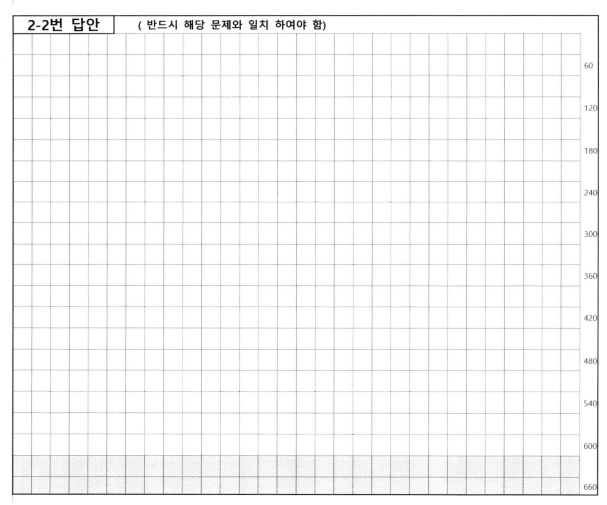

2-2번 답안 (반드시 해당 문제와 일치 하여야 함)

7. 2022학년도 숙명여대 수시 논술 (1회차)

계열 문항 1

<가>

코로나19로 인해 경기가 침체되고, 부동산 가격이 폭등하면서 한국 사회에서는 계층 간 자산과 소득의 격차가 크게 벌어지고 있다. 2020년을 기준으로 상위 20% 가구가 보유한 자산 가치는 2년 전보다 평균 1억 원 이상 증가해 12억 원을 초과하였다. 이 수치는 나머지 80% 가구가 보유한 자산을 모두 합한 것보다 2억원 이상 큰 규모다. 또한, 모든 계층에서 월평균소득이 감소하였는데, 그 비율은 계층에 따라 차이가 있었다. 소득 5분위 중 상위 20% 가구의 월평균소득 감소율이 0.78%인데 비해, 나머지 80% 가구의 월평균소득 감소율은 1.59%에서 3.17%로 상위 20% 가구보다 더 높았다. 결과적으로 2019년 4.77이었던 소득 5분위 배율*은 1년만에 4.89로 0.12 상승하였다.

한편 코로나19로 인한 충격이 컸던 2020년에는 소비 부문에서도 계층 간 격차가 발생하였다. 소득 계층간 소비 수준 차이를 나타내는 소비불평등지수는 2019년 3.67에서 2020년 3.74로 0.07포인트 상승하였다. 코로나19 이전에는 오락·문화와 관련된 선택재를 중심으로 소비 수준 격차가 확대된 것에 반해, 2020년에는 식료품이나 보건 혹은 주거·수도와 같은 필수재와 관련된 항목에서 소비 수준 차이가 더 벌어진 것 역시 주목할 만한 변화다.

* 소득 5분위 배율 = 상위 20% 평균소득 ÷ 하위 20% 평균소득

<나>

제시카 위트를 포함한 연구자들은 36명의 참가자를 대상으로 진행한 실험에서 에빙하우스 착시(Ebbinghaus illusion) 현상을 확인하였다. 연구자들은 지름이 5cm인 원(circle) A를 준비하였다. 첫 번째 실험에서 연구자들은 참가자들에게 지름이 15cm인 여섯 개 원으로 둘러싸인 A를 보여준 후, 여섯 개 원들과 비교하여 A의 지름을 추정해 보라고 요청했다. 이때 추정된 지름의 평균은 6.55cm였다. 두 번째 실험에서 참가자들은 지름이 3cm인 원 여덟 개로 둘러싸인 A의 지름을 추정했고, 이번에는 추정 지름의 평균이 6.95cm로 늘어났다. 두 차례 실험에서 추정된 평균 지름의 차이는 0.4cm인데, 이는 A의 지름에 대한 참가자들의 인식이 비교 대상원의 크기에 영향을 받아 달라졌음을 의미한다.

<그림> 제시카 위트의 실험 구성 및 결과

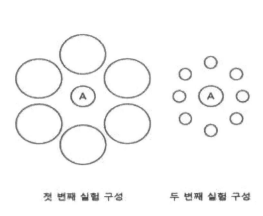

첫 번째 실험 구성   두 번째 실험 구성

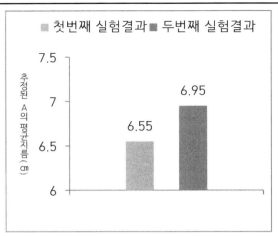

<다>

통계청 자료에 따르면, 2021년 3/4분기(7~9월) 15세 이상 취업자수가 2020년 같은 기간 대비 대폭 상승한 것으로 나타났다. 2021년 7월과 8월에 취업자수가 지난해 같은 기간 대비 각각 54만 명과 51만 명 증가했고, 9월에는 67만 명이나 증가하였다. 이러한 취업자수 증가폭은 예년 수준인 30만 명보다 이례적으로 높은 수준이다. 또한 15세 이상 취업자수가 증가함에 따라 2021년 3/4분기 고용률 역시 61.2% 혹은 61.3%로 지난해 같은 기간과 비교했을 때 약 1% 포인트 정도 상승하였다. 한 전문가는 "2020년 3/4분기와 비교하여 2021년3/4 분기에 15세 이상 인구의 고용 상황이 전반적으로 대폭 개선되었다."고 말했다.

<표 1> 2019~2021년 3/4분기 15세 이상 취업자수와 고용률

기간		취업자수 합계(십만 명)	고용률**(%)
2019년	7월	273.8	61.5
	8월	273.6	61.4
	9월	274.0	61.5
2020년	7월	271.1	60.5
	8월	270.9	60.4
	9월	270.1	60.3
2021년	7월	276.5	61.3
	8월	276.0	61.2
	9월	276.8	61.3

** 고용률 = (15세 이상 취업자수 ÷ 15세 이상 인구) × 100

1-1. <가>의 관점에서 아래 <표 2>를 참고하여 <다>의 전문가 발언의 한계를 설명하시오. (300±30자)

<표 2> 2020 ~ 2021년 3/4분기 15세 이상 취업자수(연령대별)와 고용률

기간		취업자수 합계(십만 명)	15 ~ 29세 (십만 명)	30 ~ 40대 (십만 명)	50대 (십만 명)	60세 이상 (십만 명)	고용률(%)
2020년	7월	271.1	38.0	117.0	63.6	52.5	60.5
	8월	270.9	38.1	116.1	52.9	63.8	60.4
	9월	270.1	37.3	115.7	53.5	63.6	60.3
2021년	7월	276.5	39.9	115.9	64.6	56.1	61.3
	8월	276.0	39.5	115.3	64.6	56.6	61.2
	9월	276.8	39.5	115.7	64.9	56.7	61.3

1-2. <나>의 논지를 활용하여 <다>의 <표 1>을 분석하고, 이를 근거로 <다>의 견해를 평가하시오. (600±60자)

<가>

　우리나라 사람들은 중국 시장의 번성한 모습을 처음 보고서는 "오로지 말단의 이익만을 숭상하고 있군."이라고 말하였다. 이것은 그 하나만 알고 그 둘은 모르는 말이 분명하다. 대저 상인은 사농공상(士農工商) 사민(四民)의 하나에 속하지만 이 하나가 나머지 세 부류의 백성을 소통시키기 때문에 열에 셋의 비중을 차지하지 않으면 안 된다.

　이제 사람이 쌀밥을 먹고 비단옷을 입고 있다면 그 나머지 물건은 모두 무용지물로 치부할 수 있을 것이다. 그러나 무용지물을 사용하여 유용한 물건을 유통시키고 거래하지 않는다면 이른바 유용하다는 물건은 거개가 한곳에 묶여서 유통되지 않거나 그것만이 홀로 돌아다니다 쉽게 고갈될 것이다.

　따라서 옛날의 성인과 제왕께서는 이를 위하여 주옥과 화폐 등의 물건을 조성하여 가벼운 물건으로 무거운 물건의 상대가 되도록 하셨고, 무용한 물건으로 유용한 물건을 살 수 있도록 하셨다. 게다가 다시 배와 수레를 만드셔서 험지까지도 물건을 유통하게 하셨는데 그렇게 하고도 천리만리 먼 곳에 혹시 물건이 이르지 못할까봐 염려하셨다. 민생을 위하여 폭넓게 조치하신 그분들의 정성이 이런 정도였다.

　지금 우리나라는 지방이 수천 리이므로 백성들이 적지 않고, 토산품이 미비되지 않았다. 그럼에도 불구하고 산지(山地)나 물에서 생산되는 이로운 물건이 전부 세상에 나오지 않고, 경제를 윤택하게 하는 도리가 제대로 갖추어지지 않았으며, 일용 생활에 필요한 일이 팽개쳐진 채 논하여지지 않고 있다. 그러면서 중국의 거마(車馬)·주택·단청(丹靑)·비단 등이 화려한 것을 보고서는 대뜸 "사치가 너무 심하다."라고 말해버린다.

　그렇지만 중국이 사치로 망한다고 할 것 같으면 우리나라는 반드시 검소함으로 인해 쇠퇴할 것이다. 왜 그러한가? 물건이 있음에도 불구하고 쓰지 않는 것을 일러 검소함이라고 하지, 자기에게 없는 물건을 스스로 끊어버리는 것을 일컫지는 않는다. 현재 나라에는 진주를 캐는 집이 없고 시장에는 산호(珊瑚)의 물건값이 정해져 있지 않다. 금이나 은을 가지고 점포에 들어가서는 떡과 엿을 사 먹을 수가 없다. 이런 현실이 우리의 풍속이 정녕 검소함을 좋아하여 그런 것이겠는가? 그 재물을 사용할 기술을 알지 못한 데 불과하다. 재물을 사용할 방법을 알지 못하므로 재물을 만들어 낼 방법을 알지 못하고, 재물을 만들어낼 방법을 알지 못하므로 백성들의 생활은 날이 갈수록 궁핍해진다.

　재물이란 우물에 비유할 수가 있다. 퍼내면 늘 물이 가득하지만 길어내기를 그만두면 물이 말라버림과 같다. 따라서 화려한 비단옷을 입지 않으므로 나라에는 비단을 짜는 사람이 없고, 그로 인해 여인의 기술이 피폐해졌다. 이지러진 그릇을 사용하기를 꺼리지 않고, 기교를 부려 물건을 만드는 것을 숭상하지 않아 나라에는 공장과 목축과 도공의 기술이 형편없고, 그러므로 기술이 사라졌다. 더 나아가 농업은 황폐해져 농사짓는 방법이 형편없고, 상업을 박대하므로 상업 자체가 실종되었다. 사농공상

네 부류의 백성이 누구나 할 것 없이 다 곤궁하게 살기 때문에 서로를 구제할 방도가 없다.

<나>

자유주의의 주장은 다양한 인간 노력을 조정하는 수단으로 경쟁의 힘을 되도록 최대한 잘 활용하자는 것이지 그냥 그대로 놔두라는 것이 아니다. 이는 유효한 경쟁이 창출될 수 있는 곳에서는 다른 그 어떤 방법보다도 경쟁이 개별적 노력의 좋은 길잡이가 된다는 확신에 기초한 것이다. 자유주의는 경쟁이 유익하게 작동하려면, 세심하게 배려된 법적 틀을 필요로 한다는 사실, 그리고 과거 혹은 현재의 법 규칙들이 중대한 결함으로부터 자유롭지 못하다는 사실을 부인하지 않으며 오히려 강조한다. 자유주의는 또한 경쟁이 유효해지도록 하는 조건들을 창출하는 것이 불가능한 경우라면, 다른 방법에 의존해 경제 활동의 길잡이로 삼아야 한다는 사실도 부인하지 않는다. 그러나 경제적 자유주의는 개인들의 개별적 노력을 조정하는 방법으로 경쟁보다 더 열등한 방법이 경쟁을 대체하는 것에 반대한다.

그리고 자유주의는 경쟁이 대개의 경우 알려진 방법 중 가장 효율적이라는 이유뿐만 아니라 더 크게는 권력의 강제적이고도 자의적인 간섭 없이도 우리의 행위들이 서로 조정될 수 있는 유일한 방법이기 때문에 경쟁을 우월한 방법으로 간주한다. 사실, 경쟁을 선호하는 핵심적 주장의 하나는 '의식적인 사회적 통제'가 필요하지 않다는 점이며, 특정한 직업이 그 직업과 연관된 불리한 점과 위험 요소들을 상쇄하고도 남을 만큼 전망이 있는지 개인이 스스로 결정할 기회를 각자에게 부여한다는 점이다. 사회적 조직의 원칙으로 경쟁을 성공적으로 활용하기 위해서는 경제 활동에 대한 특정한 유형의 강제적 간섭을 배제해야 하지만, 경쟁의 작동을 상당히 도와줄 수도 있는 다른 유형의 간섭은 인정하며, 심지어 특정한 종류의 정부 행동은 필요한 것이기도 하다. 그러나 강제력은 사용되지 말아야 한다는 점이 특별히 강조된 데에는 그만한 이유가 있다. 무엇보다 먼저 시장 참여자들은 거래 상대방을 찾을 수 있는 한 어떤 가격에서건 자유롭게 팔고 살 수 있어야 하고, 누구든 자유롭게 생산할 수 있고, 팔릴 수 있는 어떤 것도 생산하고 팔고 살 수 있어야 한다.

<다>

시장경제는 노동·토지·화폐를 포함한 산업의 모든 요소를 포괄해야 한다. 하지만 노동이나 토지가 의미하는 바가 무엇인가. 그것들은 다름 아닌 사회를 구성하는 인간 자체이며 또 사회가 그 안에 존재하는 자연환경인 것이다. 이것들을 시장 메커니즘에 포함시킨다는 것은 사회의 실체 자체를 시장의 법칙 아래 종속시킨다는 뜻이다. 물론 노동·토지·화폐는 산업의 필수 요소이며, 이것들도 시장에서 조직되어야 한다. 사실 이 시장이야말로 경제 체제에서 다른 무엇보다도 중요한 부분을 형성한다. 그러나 노동·토지·화폐는 분명 상품이 아니다. 매매되는 것들은 모두 판매를 위해 생산된 것일 수밖에 없다는 가정은 이 세 가지에 관한 한 결코 적용될 수 없다. 사람들은 노동력

도 다른 상품과 똑같은 것이라고 억지를 부릴 수 있다. 하지만 노동력과 관련하여 일하라고 재촉하거나 마구 써먹거나 심지어 사용하지 않고 내버려 두거나 하면, 그 특별한 상품을 몸에 담은 인간 개개인은 어떻게든 영향을 받지 않을 수 없다. 이런 체제 아래서 인간의 노동력을 그 소유자가 마음대로 처리하다 보면 노동력이라는 꼬리표를 달고 있는 사람이라는 육체적·심리적·도덕적 실체도 소유자가 마음대로 처리하게 된다. 인간들은 갖가지 문화적 제도라는 보호막이 모두 벗겨진 채 사회에 알몸으로 노출되고 결국 쇠락해 간다. 악덕·인격파탄·범죄·굶주림 등을 거치면서 격심한 사회적 혼란의 희생양이 되어갈 것이다. 자연은 그 구성 요소들로 환원되어 버리고, 주거지와 경관은 더럽혀진다. 마지막으로 구매력의 공급을 시장 메커니즘에 맡겨두면 영리 기업들은 주기적으로 파산하게 될 것이다. 노동시장·토지시장·화폐시장이 시장경제에 필수적이라는 점은 의심의 여지가 없다. 하지만 인간과 자연이라는 사회의 실체 및 사회의 경제 조직이 보호받지 못하고 시장경제라는 '사탄의 맷돌'에 노출된다면 그렇게 무지막지한 상품 허구의 경제 체제가 몰고 올 결과를 어떤 사회라도 단 한순간도 견뎌내지 못할 것이다.

2-1. <가>의 문제를 <나>의 관점에서 설명하시오. (300±30자)

2-2. <다>의 내용을 토대로 <나>의 주장을 비판하시오. (600±60자)

숙명여자대학교

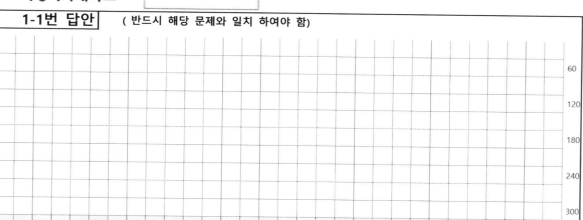

지원학부(과)		수 험 번 호	주민등록번호 앞6자리(예)000512)

문 류	

1-1번 답안 　(반드시 해당 문제와 일치 하여야 함)

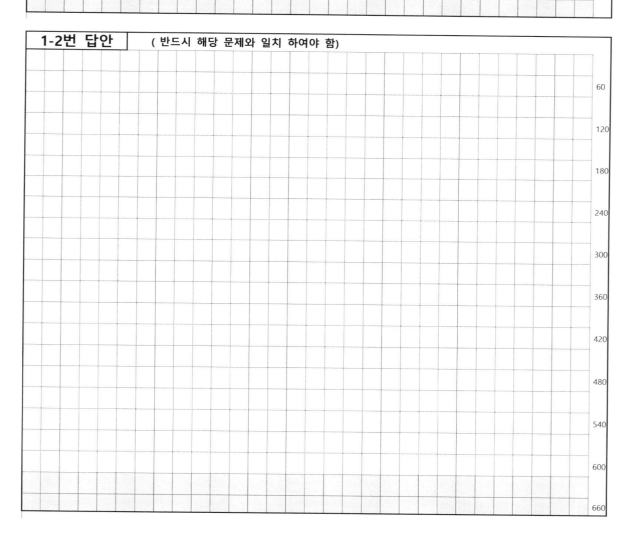

　　60

　120

　180

　240

　300

1-2번 답안 　(반드시 해당 문제와 일치 하여야 함)

　　60

　120

　180

　240

　300

　360

　420

　480

　540

　600

　660

87

숙명여자대학교

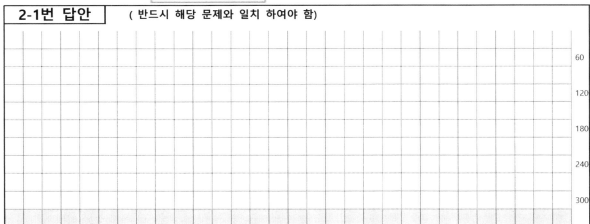
2-1번 답안 (반드시 해당 문제와 일치 하여야 함)

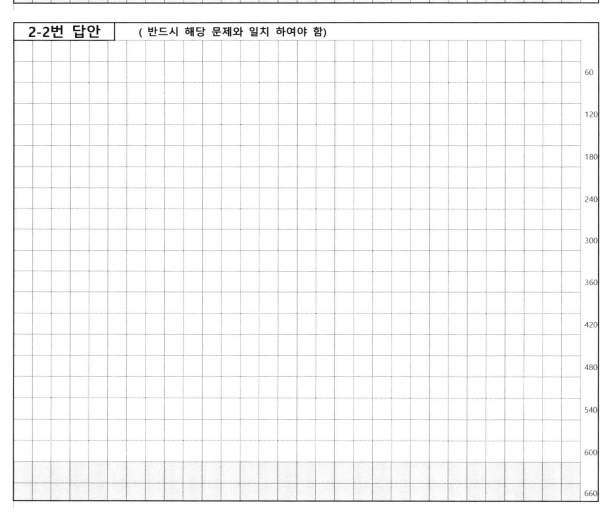

60
120
180
240
300

2-2번 답안 (반드시 해당 문제와 일치 하여야 함)

60
120
180
240
300
360
420
480
540
600
660

8. 2022학년도 숙명여대 수시 논술 (2회차)

<가>

공공재는 대가를 지불하지 않아도 누구나 사용할 수 있는 비배제성과 한 사람이 소비하더라도 다른 사람의 소비기회가 줄지 않는 비경합성을 지닌 재화를 말한다. 이러한 특성을 가진 공공재인 지구환경은 국가들의 남용으로 지구온난화 위기에 직면하고 있지만 국가들이 서로 협력하여 대응하기도 쉽지 않다. 게임이론에서 용의자의 딜레마(prisoner's dilemma)라고 부르는 <표>의 상황이 이를 시사하고 있다.

<표> 공유자원의 이용

		B	
		협조	비협조
A	협조	4, 4	-10, 5
	비협조	5, -10	0, 0

A와 B가 공동으로 어떤 자원을 소유하고 있다고 하자. A와 B가 서로 협조하여 최적의 자원만을 이용할 경우는 자원 이용으로부터 각각 4의 순편익을 얻게 된다. 둘 다 자신만의 이익을 극대화하기 위해 경쟁적으로 이용하는 경우는 둘 다 0의 순편익을 얻게 된다. 반면 A가 집단 전체의 이익을 극대화하는데 협조하여 자원 이용을 자제함에도 B가 여전히 자신만의 이익을 극대화하고자 할 경우, B는 A가 이용하지 않고 남긴 자원까지도 이용할 것이다. 이 경우 A는 스스로 이용을 자제하여 손해를 볼 뿐 아니라, B가 비협조적으로 행동하여 집단 전체의 자원을 이용함으로써 발생하는 손해까지도 보게 된다. 그 결과 A는 -10의 순편익을 얻고 B는 5의 순편익을 얻게 된다. 반대로 A가 비협조적이고 B가 협조적일 경우 순편익은 각각 5와 -10이 된다. A와 B가 상대방이 어떤 선택을 할지 모르는 상태에서 각자 자신의 이익만을 극대화하기 위해 노력한다면, 위와 같은 상황에서 각 개인은 어떤 선택을 할 것인가? 게임이론에서는 상대방이 어떤 전략을 선택하든지 자기에게 유리한 전략이 한 가지뿐이라면 그 전략을 우월전략이라고 한다.

<나>

온난화 방지를 위해 아이디어 차원에서 제안된 '배출권 거래'가 국가 간의 조약으로 결실을 보았습니다. 온난화가 현실적으로 진행되고 있는 상황에서 온실가스 배출 억제가 전 지구적 차원의 긴급한 과제로 대두되었기 때문에 지구 전체의 온실가스 배출 총량을 정하려는 구상에서 만들어진 것이 바로 **배출권거래제**입니다. 1997년에 제3차 기후변화협약 당사국 총회에서는 배출 총량을 정하여 각국에 온실가스를 배출할 권리를 분배하는 체제를 만들었습니다. 이것이 '교토의정서'라는 국제환경조약입니다. 이 의정서는 각국의 온실가스 배출량을 감축하기 위해 배출량 한도를 설정하고, 국가들은 그 한도만큼의 배출권을 갖게 됩니다. 국가들이 배정받은 한도를 초과하여 온실가스를 배출한 경우는 다른 국가가 가진 배출권 일부를 구매하여 조약을 준수할 수 있습니다. 이는 아래 <그림>과 같이 구조화할 수 있습니다.

<그림> 배출권 거래의 구조

X국과 Y국이 동일한 양의 배출권을 갖게 되었다고 생각해 봅시다. 이 두 국가가 환경파괴를 초래할 권리는 동일합니다. X국은 경제적 풍족을 실현하려는 목적에서 할당된 배출권을 초과하여 온실가스를 배출하고 있습니다. Y국은 실제 배출량이 할당된 배출권보다도 적어서 경제적 풍요가 덜할 수밖에 없습니다. 그 결과 배출권에 관한 약속을 지키지 않은 X국이 더 풍족하게 되고, 약속을 지킨 Y국은 덜 풍족하게 되어 불평등한 상황이 벌어지게 됩니다. 이러한 불평등은 X국이 초과 배출로 얻은 풍족의 초과분을 Y국에 경제적으로 보상해준다면 해소될 것입니다. 이러한 배출권의 설정과 거래는 교토의정서에 따라 이루어지는 것이기에 이 의정서를 비준하지 않은 국가가 준수할 의무는 없습니다.

<다>

유럽은 산업혁명의 기원지로 기후 위기의 시발점이면서, 그 위기에 가장 **빨리** 대응하고 있다. 유럽 국가 중 핀란드는 세계에서 가장 먼저 '탄소세'를 부과했다. 탄소세는 제품을 만들 때 직접 배출하는 탄소량에 부과하는 것이지만, 더 나아가 생산 공정에 필요한 전력을 생산하는 과정에서 배출하는 탄소량에 부과하기도 한다. 탄소를 대상으로 한 배출권거래제를 가장 먼저 도입한 곳도 2005년 유럽연합이었다. 이후 세계 각국 정부가 탄소세와 탄소배출권거래제를 따라가기 시작했다.

최근 유럽연합집행위원회는 2030년까지 유럽연합 내에서 온실가스 순배출량을 1990년 대비 최소 55% 감축하고, 2050년까지 '탄소 중립'을 이루겠다는 목표를 달성하기 위해 탄소 누출 방지를 명분으로 **탄소국경조정제**를 도입하려고 한다. 탄소국경조정제는 유럽연합 밖에서 생산돼 유럽연합 내로 수입되는 제품의 탄소 배출량에 대해 수입자가 탄소국경조정 인증서를 구매하도록 하는 조치다. 이 계획에 따르면, 해당품목을 수입하는 업자는 2023년부터 연간 수입하는 양의 직접 탄소 배출량에 비례해 탄소국경조정 인증서를 구매해야 한다. 다만 탄소국경조정 대상 제품의 탄소 비용이 원산지 국가에서 지불된 경우, 해당 제품의 수입자는 그에 상응하는 금액의 감면을 요청할 수 있다.

유럽연합이 촉발한 탄소국경조정제 논의로 인해 각국은 기후변화 대응 목표를 상향하거나 유사 제도 도입을 검토할 것으로 보인다. 어느 국가든 자국 기업이 탄소 비용을 다른 나라에 지불하도록 두는 것보다는 자국에서 거두는 방안을 선호할 것이기 때문이다. 전 세계 국가들이 탄소국경조정제로 정해지는 가격보다 높게 책정한 탄소 비용을 자국 내에서 내게 하고 이를 통해 조성한 재원을 다시 탄소 배출 감축에 투자한다면, 선순환 효과가 생기게 될 것이다. 노벨 경제학상 수상자인 조지프 스티글리츠 컬럼비아대 교수는 "탄소국경조정제 아이디어가 나온 것은 중요한 이정표"라고 치켜세웠다.

1-1. <가>를 활용하여 지구온난화에 대한 대응이 어려운 이유를 요약하시오. (300±30자)

1-2. <가>의 상황에서 <나>의 배출권거래제와 <다>의 탄소국경조정제가 지구온난화 방지에 기여하는 방식을 비교하시오. (600±60자)

〈가〉

프레임은 인간이 실재를 이해하도록 해주며 때로는 우리가 실재라고 여기는 것을 창조하도록 해주는 정신적 구조로서 언어를 통해 인식된다. 그것은 우리가 추구하는 목적과 우리가 짜는 계획, 우리의 행동방식과 그 결과의 옳고 그름을 결정한다. '인지과학개론' 수업에서 프레임에 관한 강의를 시작하기 전, 나는 학생들에게 과제 하나를 내준다. 어떤 일을 하든 '코끼리를 생각하지 말라'는 것인데, 이 과제에 성공한 학생을 나는 단 한 명도 보지 못했다. 다른 모든 낱말이 그렇듯, '코끼리'도 그에 상응하는 프레임을 환기한다. 그것은 어떤 이미지가 될 수도 있고 특정한 지식이 될 수도 있다. 가령, 몸집이 크고, 퍼덕이는 귀와 긴 코를 가지고 있고, 밀림에 서식하고, 서커스와 연관되어 있다는 등의 어떤 중요한 정보를 통제하는 프레임에 의해 '코끼리'는 정의된다. 이처럼 모든 단어가 특정 프레임에 의하여 정의된다는 사실이 시사하듯, 특정한 프레임을 부정하려면, 우리는 먼저 그 프레임을 떠올릴 수밖에 없다.

일찍이 리처드 닉슨은 그 진리를 통감한 바 있다. 워터게이트 사건이 터지고 사임 압력을 받고 있을 무렵 그는 TV에 나와 전 국민을 향해 "저는 사기꾼이 아닙니다."라고 말했는데, 그 순간 모든 국민은 그를 사기꾼이라고 생각하게 된 것이다. 이 일화는 상대편에 반대하는 주장을 펼치려면 상대편의 언어를 이용하지 말라는 프레임 구성의 기본 원칙을 가르쳐준다. 상대편 언어는 어떤 프레임을 끌고 옴으로써 우리를 자신들의 세계관으로 끌고 들어가는 덫을 놓는데, 이것이 프레임 형성의 핵심인 것이다. 프레임을 짜는 일은 자신의 세계관에 부합하는 언어를 취합하는 것이다. 그것은 단지 언어가 아니다. 본질은 그 안에 있는 생각이다. 언어는 그런 생각을 실어나르고 환기하는 역할을 하는 것이다.

〈나〉

하이데거는 "언어는 존재의 집"이라고 말했다. 존재라고 하는, 손끝에 닿으면서도 결코 잡히지 않는 "날것 그대로인 실재"를 나름 구체적 형상으로 감지케 하는 것, 무상(無常)한 존재의 질감과 무늬를 어렴풋하게나마 인식할 수 있게 하는 것이 언어의 매개적 역할이라고 본 것이다. 그것이 물질이든 비물질이든, 모든 사물이 언어를 통하지 않고는 존재에 이르지 못한다고 본 그의 통찰은, 사물로 가득 찬 세계에 대한 인식이 얼마든지 주관적으로 가공될 수 있다는 사실과 연결된다.

사물은 분명 언어 이전에 존재하지만 나에게 유의미한 존재로 다가오려면 인식 행위가 선행되어야 하는데, 이를 가능케 하는 것이 바로 언어이다. 언어를 통해 우리는 상황과 사건을 개념화하고, 이렇게 개념화된 상황과 사건은 소리와 문자를 통해 기호의 형태를 띤다. 이런 기호화 과정은 어휘 체계와 문법 체계를 통해 우리가 사용하는 구체적인 언어 표현으로 구현되는 것이다. 이 언어의 구성 과정에서는 필연적으로 화자가 그 상황과 사건에 대하여 갖는 입장이나 평가가 반영된다.

문제는 화자가 자신의 욕망에 기초하여 구성한 소위 현실이 객관적 실재의 상황과 어긋날 때이다. 가령, 나치 정권이 완곡어법의 상투어를 통해 유대인 학살을 '최종 해결책', '완전 소개*', '특별 취급' 등으로 부름으로써 사람들이 유대인 학살과 관련한 상황을 바르게 이해하지 못하도록 세뇌한 것이 그러한 경우이다. 이처럼 욕망의 언어는 매우 자기중심적이어서 욕망의 주체만을 위무(慰撫)할 뿐 타자의 얼굴을 결코 볼 수 없게 한다. 그것은 실체적 진실을 떠난 무의미한 기호임에도 그 기호 속에 왜곡된 욕망을 끊임없이 삽입하고 타자에게 왜곡을 강요하는 문제를 낳는다.

* 소개(疏開): 한곳에 집중된 주민·시설 등을 분산시킴.

<다>

 나는 정유년 4월 초하룻날 서울 의금부에서 풀려났다. 내가 받은 문초의 내용은 무의미했다. 위관들의 심문은 결국 아무것도 묻고 있지 않았다. 그들은 헛것을 쫓고 있었다. 나는 **그들의 언어**가 가여웠다. 그들은 헛것을 정밀하게 짜 맞추어 충(忠)과 의(義)의 구조물을 만들어 가고 있었다. 그들은 바다의 사실에 입각해 있지 않았다. 형틀에 묶여서 나는 허깨비를 마주 대하고 있었다. 내 몸을 으깨는 헛것들의 매는 깨어지듯이 아프고 깊었다. 나는 헛것의 무내용함과 눈앞에 절벽을 몰아세우는 매의 고통 사이에서 여러 번 실신했다. (…) 나는 조선 수군 연합 함대가 칠천량에서 전멸되었다는 소식을 도원수 권율에게서 들었다. (…) 체포되기 몇 달 전인 병신년 초겨울 나는 한산 통제영에서 그를 대면한 적이 있었다. (…) 조정에서 입수한 정보에 따르면 가토 기요마사의 부대가 곧 바다를 건너서 부산으로 진공하게 되어 있는데, 함대를 이끌고 부산 해역으로 나아가 미리 대기하고 있다가 적을 요격해서 가토의 머리를 조정으로 보내라고, 그때 그는 나에게 말했었다. (…) 나는 그때 다만, 현장 지휘관의 판단을 존중해 주십시오, 라고만 대답했다. 그는 서둘러 돌아갔고 나는 함대를 움직이지 않았다. (…) 겨울 바다는 물결이 높았다. 그 물결 높은 바다 위에서 며칠이고 진(陳)을 펼치고 언제 올지 모르는 적을 기다린다는 것은 자살이나 다름없었다. 조정은 작전 전체의 승패보다도 가토의 머리를 간절하게 원했다. 가토는 임진년 출병의 제1진이었다. 가토의 부대는 한나절 만에 부산성을 깨뜨리고, 꽃놀이 가는 봄나들이 차림으로 가마 대열을 꾸미며 북으로 올라갔다. 붙잡힌 조선 백성들이 그 가마를 메었다. 임금은 가토의 부대에 쫓겨 의주까지 달아났다. 임금은 가토의 머리에 걸린 정치적 상징성을 목말라 했다. 임금은 진실로 종묘사직 제단 위에 가토의 머리를 바치고 술 한잔을 따르고 싶었을 것이다. 나는 정치적 상징성과 나의 군사를 바꿀 수는 없었다. (…) 나는 즉각 기소되었다. (…) 서울 의금부 형틀에 묶여 있을 때, 임금의 형장(刑杖)은 몸을 가득 채우며 파고들었다. (…) 나를 심문하는 위관의 목소리가 들렸다. "네가 부산 왜영을 불태운 사실을 조정에 허위 보고 하였느냐?", "네가 적을 빤히 보고도 군사를 몰아가 토벌하지 않고, 바다를 건너오는 가토를 요격하지 않은 의도가 무엇이냐?", "너는 누구의 군대냐? 너는 가토의 군대냐?", "너는 왜 싸울 때마다 원균의 뒤를 따라다녔느냐?", "네가 군공을 속여 보고한 것은 무장으로서 임금을 능멸하는 마음을 품었기 때문이 아니냐?", "신하로서 임금을 속인 자는 마땅히 죽인다. 아느냐?", "전하께서는 네가 이제 가토의 머리를 들고 온다 하더라도 용서해 줄 수 없다고 하셨다. 네가 참으로 무장이라면, 사직 앞에 죄를 고하고 밝게 죽는 편이 어떠하냐?" 혼절과 혼절 사이에서 나는 아무것도 대답할 수 없었다. 위관의 질문은 답변을 미리 예비하고 있었으므로 나는 아무것도 답변할 수 없었다. 위관은 집요했으나, 아무것도 묻고 있지 않았다. 아마도 거기에 대답할 수 있는 사람은 임금뿐이었다.

2-1. <가>와 <나>에서 '언어와 사고'의 관계를 이해하는 방식의 공통점을 기술하시오. (300±30자)

2-2. <나>의 논지를 활용하여 <다>의 '그들의 언어'에 대해 비판하시오. (600±60자)

숙명여자대학교

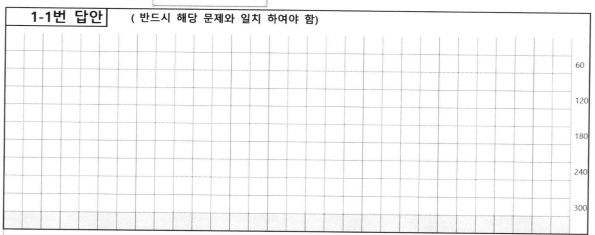

	시험과목(과)		수 험 번 호		주민등록번호 앞6자리(예:930812)

성 명	

1-1번 답안   (반드시 해당 문제와 일치 하여야 함)

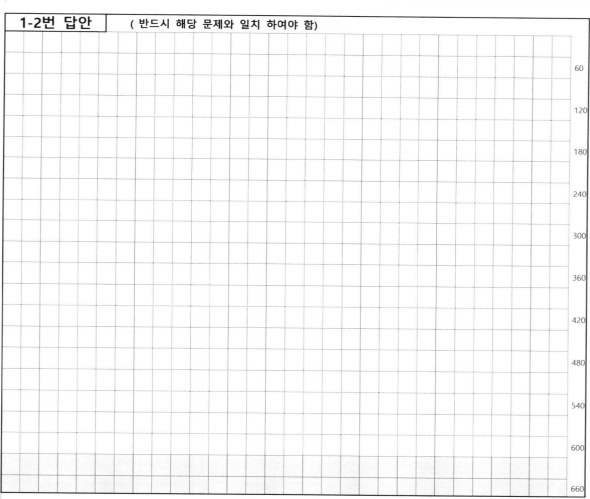

```
                                                                    60

                                                                   120

                                                                   180

                                                                   240

                                                                   300
```

1-2번 답안   (반드시 해당 문제와 일치 하여야 함)

```
                                                                    60

                                                                   120

                                                                   180

                                                                   240

                                                                   300

                                                                   360

                                                                   420

                                                                   480

                                                                   540

                                                                   600

                                                                   660
```

숙명여자대학교

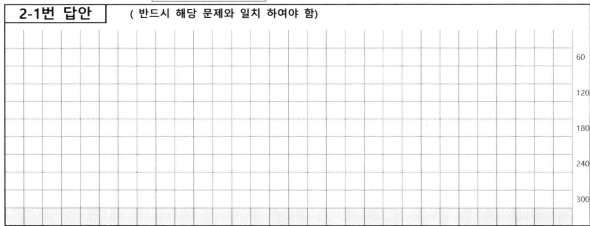

2-1번 답안 　(반드시 해당 문제와 일치 하여야 함)

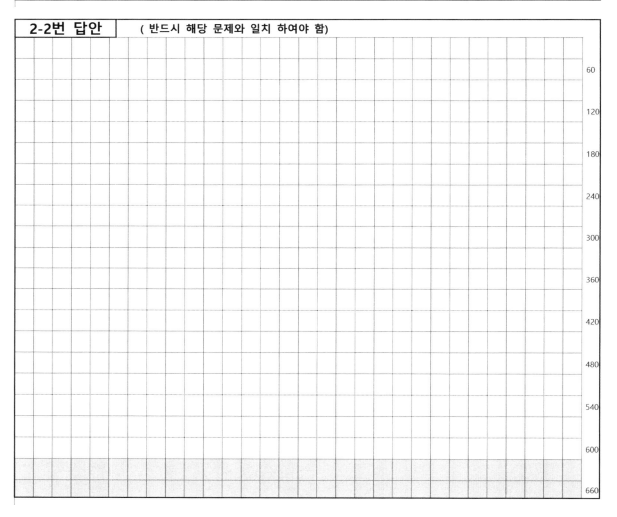

60
120
180
240
300

2-2번 답안 　(반드시 해당 문제와 일치 하여야 함)

60
120
180
240
300
360
420
480
540
600
660

9. 2022학년도 숙명여대 모의 논술

계열 문항 1

<가>

아이들이 문제아로 낙인찍히면 자신의 자아 이미지를 재평가하기 때문에 이러한 낙인 과정은 중요하다. 부모가 자기 아이를 문제아로 낙인찍을 경우, 아이들의 일탈은 더 증가한다. 낙인은 부모와 자식을 갈라놓고 아이들의 자아 이미지를 낮춰 비행을 증가시킨다. 부모의 낙인은 매우 치명적인데, 이는 아이가 자신의 낙인 효과를 더욱 확대할 수 있는 비행 친구를 찾게 만들기 때문이다. 아이들이 성장함에 따라 반복적이고 강렬한 낙인이 찍힐 위험에 처하며, 이는 자기낙인을 강화하고 정체성을 훼손한다.

아이가 부모나 교사 등 중요한 다른 사람들에 의해 부정적으로 낙인찍힌다고 인지할 때, 일탈적 자아 개념을 수용하게 된다. 그 결과, 아이들은 일탈 친구와 사귀고 비행 집단에 가입하기도 하며, 이는 범죄 행위 가담을 더욱 용이하게 한다. 범죄 행위로 인해 법정에 서게 되면 낙인효과는 더욱 심해질 수 있다. 공식적 낙인으로 학교에서 퇴학의 위험에 처하기도 한다. 이렇듯 법원의 개입은 범죄를 막기보다는 오히려 차후 범죄 가능성을 더 높인다.

요컨대 부모나 친구가 아이를 부정적으로 바라보고 그로 인해 아이가 손상된 정체성을 지니게 되면 나중에도 범죄를 지속할 수 있다. 즉, 어릴 때 낙인찍힌 아이가 그러한 낙인을 극복하지 못하여 학교에 적응하지 못하고, 취업 기회마저 잃게 된다면, 성인 초기에 범죄를 저지를 가능성이 크다.

<나>

최근 우리나라에서는 현행 14세 미만의 형사 미성년자 연령을 13세 미만으로 낮추고, 특정강력범죄를 저지른 소년의 소년부 송치를 제한함과 동시에 형량을 상향하는 등 소년범죄에 대한 적극적인 처벌강화를 강조하고 있다. 하지만 이러한 대책을 논의하는 과정에서, 과연 이러한 엄벌주의 정책이 소년비행과 재범률을 낮출 수 있는 정책인지에 대한 냉정한 검토가 이루어졌는지는 의문이다. 단순히 몇몇 충격적인 사건을 계기로 이러한 주장이 제기되었다고 한다면, 목적하는 성과는 기대할 수 없을 것이다.

교육과 사회 복귀를 강조하는 보호처분 대신에 구금을 중심으로 하는 형벌만을 강조한다면 이후의 소년범 재범률은 필연적으로 높아진다. 형벌은 보호처분과 비교하여 더욱 강렬한 부정적인 낙인을 부여하며, 이에 따른 사회적 차별과 배척, 그리고 스스로에 대한 부정적 자기 관념을 강하게 하므로 사회 복귀가 더욱 곤란해져 재범의 가능성을 높이게 된다.

미국 소년사법 역사와 여러 실증적인 조사에 의하면, 행위에 상응하는 적절한 응보나 공공의 안전 등을 이유로 더 많은 소년을 보다 장기간 교정시설에 수용하여 가족과 지역으로부터 분리하는 엄벌주의는 오히려 소년과 성인범죄자의 재범률을 증가시켜 공공의 안전을 침해하는 결과를 가져왔다.

소년비행에 대한 문제는 단순히 엄벌주의만으로 해결할 수 없다. 엄벌주의로 얻어지는 안도감은 허상에 불과하며 오히려 본질적 문제를 방치시켜 또 다른 위기를 초래할 뿐이다.

<다>

 잔인한 청소년 범죄가 잇따르자 소년법을 개정하거나 폐지하여 소년범에 대한 형사처벌을 강화해야 한다는 여론이 힘을 얻고 있다. 정부도 소년법 개정을 검토하고 있는 것으로 알려져 있다.

 형사처벌의 목적은 범죄자의 재사회화이기도 하지만, 궁극적으로는 범죄로부터 사회를 보호하는 데 있다. 인터넷과 SNS의 발달로 소년범들의 모방 범죄가 기승을 부리고 있다. 또한 그들의 범행이 잔혹할수록 온라인상에서 화제를 모으고 심지어 영웅시되기도 한다. 경제성장과 학교교육의 보편화로 과거보다 소년들이 정신적, 육체적으로 조숙해졌다. 이러한 추세에 대응하여 소년범에 대해 더 강한 사회적 책임을 묻는 것이 필요하다. 형법 개정과 특별형법의 제정으로 성인범에 대한 형사처벌이 대폭 강화된 마당에 소년범만 예외일 수는 없는 것이다.

 소년범 처벌을 강화하는 것은 세계적인 추세이기도 하다. 일본의 경우, 소년범에 대한 유기징역형의 상한을 15년에서 20년으로 높였고, 현재 소년법 적용 연령을 19세에서 17세로 낮추는 방안을 검토하고 있다. 미국의 경우에는 소년범이 우발적 범죄나 소년의 특성에 기인한 범죄가 아닌 중범죄를 저질렀을 때 소년법 적용에서 배제되고 일반 형사 법정에서 성인범과 동일하게 재판과 처벌을 받는다.

1-1. 제시문 <나>와 <다>에 나타난 소년범에 대한 관점을 비교하시오. (300±30자)

1-2. 아래 제시된 표에 드러난 '최근 10년간 소년범죄 발생추세'를 범죄유형별로 분석하고, 이러한현상에 대한 대응 방안을 제시문 <가>와 <나>를 활용하여 기술하시오. (600±60자)

<표> 범죄유형별 소년범죄의 발생비* 추이(2010-2019년)

다음은 2010년을 기준으로 최근 10년간 소년 범죄자의 범죄유형별 발생비 추세를 나타낸 것이다.

연도	재산범죄		강력범죄(흉악)	
	발생비	증감률	발생비	증감률
2010	400.7	-	33.7	-
2011	403.0	0.6	38.1	13.1
2012	442.4	34.7	10.4	3.0
2013	430.9	7.6	34.4	2.1
2014	367.4	-8.3	32.0	-5.0
2015	332.9	-16.9	28.2	-16.4
2016	352.9	-11.9	35.7	5.9
2017	319.3	-20.3	38.1	13.0
2018	300.6	-25.0	39.8	18.2
2019	327.6	-18.2	43.2	28.2

*발생비는 소년 인구 10만 명당 범죄 발생 건수를 가리킨다.

<가>

  우리는 에일머가 자연에 대한 인간의 궁극적인 통제에 어느 정도의 신념을 가지고 있었는지 어쨌는지는 알지 못한다. 그러나 다른 어떤 열정으로도 떼어 놓을 수 없을 만큼 그는 과학적인 연구에 깊이 몰입해 있었다. 어쩌면 젊은 아내에 대한 그의 사랑이 더 열정적이었을지도 모르겠다. 그러나 그것은 아내에 대한 사랑을 과학에 대한 사랑과 같이 엮고 과학에 대한 사랑의 힘을 자신의 힘에 결합시킬 때만 오직 가능했을 것이다.

  결혼한 지 얼마 되지 않은 어느 날, 에일머는 걱정스러운 표정으로 아내를 바라보며 앉아 있었다.

  "조지아나, 당신 뺨에 있는 그 점을 없앨 수 있다는 생각을 해 본 적이 있소?"

  "아니오." 그녀는 미소를 지으며 대답했다. "사실을 말하자면, 사람들이 그 점이 매력이라고들 해서 그저 그런 줄만 알고 별로 신경을 안 썼죠."

  "글쎄, 다른 사람의 얼굴에서는 그럴지도 모르지만 당신 얼굴에서는 안 그렇소. 사랑하는 조지아나, 당신은 자연의 손으로부터 거의 완벽하게 빚어져서 이 조그만 흠이, 글쎄 그걸 흠이라고 불러야 할지 아름다움이라고 불러야 할지는 잘 모르겠소만, 하여튼 그것이 이 지상의 불완전성의 상징처럼 나에게 충격을 주는구려."

  만약 그녀가 덜 아름다웠더라면 그는 아마도 그녀의 가슴 안에서 감정의 맥박이 뛸 때마다 희미한 모습으로 보이다가 사라지기도 하고 다시 또 슬그머니 나타나서 어른거리는, 이 손같이 생긴 아름다운 모양의 반점에 그의 애정이 고양되는 것을 느낄 수 있었을 것이다. 그러나 그 반점만 아니라면 그녀의 아름다움이 완벽할 것이라고 생각했기 때문에 그는 결혼 생활이 진행되어 가는 순간순간 점점 더 이 하나의 흠이 견디기 어려워져 감을 느꼈다. 그것은 자연이 어떤 형태로든 자신의 모든 창조물에 지울 수 없게 찍어서 그것들이 일시적이고 유한한 것임을 알리거나 그것들의 완전함은 오직 고통스런 수고에 의해서만 가능한 것임을 암시하는, 어떤 낙인같은 치명적인 흠이었던 것이다.

  […중략…]

  "이 용액의 제조는 완벽하오." 조지아나의 눈길에 대한 답으로 에일머는 그렇게 말했다.

  "만일 나의 모든 과학이 나를 배반하지 않는다면 이 약은 실패할 수가 없소."

  창문 앞 오목한 공간에는 온 잎사귀에 누런 얼룩이 퍼져 멍들어 있는 제라늄 화분 하나가 놓여 있었는데 에일머는 제라늄이 자라고 있는 흙 위에 그 용액을 약간 부었다. 잠시 후 그 식물의 뿌리가 용액의 수분을 흡수하자 보기 흉하던 누런 얼룩들이 다 없어지고 싱싱한 초록색으로 되살아나는 것이었다.

  "그 잔을 주세요. 당신께 기꺼이 모든 걸 맡기겠어요."

  […중략…]

  "아 불쌍한 에일머!" 조지아나가 중얼거렸다.

"불쌍하다구? 아니, 이젠 가장 행복하고, 가장 부유한 행운아가 되지 않았고? 비길데 없는 나의 신부여! 성공했다구! 이제 당신은 완전하게 된 거요!" 에일머가 소리쳤다.

조지아나는 인간의 부드러움 그 이상의 것이 담긴 어조로 반복했다.

"당신의 목표는 높았고, 당신은 그 목표를 훌륭히 이루었어요. 그러니 그런 고결하고 순수한 감정으로, 이 땅이 당신에게 제공할 수 있는 최상의 것을 거부했다고 해서 결코 후회하지 마세요. 에일머, 사랑하는 에일머, 나는 지금 죽어가고 있어요!"

오호라! 그건 사실이었다.

<나>

그리하여 더없이 존귀하신 장인(匠人)께서는 인간에게 고유한 몫으로 아무것도 주실 수 없는 만큼, 개개의 피조물에게 개별적으로 주셨던 것은 무엇이든지 인간에게 공통으로 주시기로 작정하셨습니다. 그래서 하느님은 인간을 미완된 모상(模像)의 작품으로 받아들이셨고, 세상 한가운데에 그를 자리 잡게 하고서 이렇게 말씀하셨던 것입니다. "오, 아담이여, 나는 너에게 일정한 자리도, 고유한 면모도, 특정한 임무도 부여하지 않았노라! 어느 자리를 차지하고 어느 면모를 취하고 어느 임무를 맡을지는 너의 희망대로, 너의 의사대로 취하고 소유하라! 여타의 피조물에게 있는 본성은 우리가 설정한 법칙의 테두리 안에 규제되어 있다. 너는 그 어느 장벽으로도 규제받지 않고 있는 만큼 너의 자유의지에 따라서 (네 자유의지의 수중에 나는 너를 맡겼노라!) 네 본성을 테두리 짓도록 하여라. 나는 너를 세상 중간 존재로 자리 잡게 하여 세상에 있는 것들 가운데서 아무것이나 편한 대로 살펴보게 하였노라. 우리는 너를 천상의 존재로도 지상의 존재로도 만들지 않았고, 사멸할 자로도 불멸할 자로도 만들지 않았으니, 이는 자의적으로 또 명예롭게 네가 네 자신의 조형자요, 조각가로서 네가 더 좋아하는 대로 형상을 빚어내게 하기 위함이다. 너는 네 자신을 짐승 같은 하위의 존재로 퇴화시킬 수도 있으리라. 그리고 그대 정신의 의사에 따라서는 신에 버금가는 상위 존재로 재생시킬 수도 있으리라."

<다>

20세기 초반에는 인종주의자와 우익 보수주의자뿐만 아니라 수많은 좌익 진보주의자 역시 의학 발전의 효과와 인간 유전자 개선을 통한 사회 안전망 확보에 관심을 가졌다. 그들의 믿음에 따르면, 근대 사회는 이른 나이에 소멸해야 했었을 많은 '부적합한' 사람들을 생존하도록 만들었다. 그들은 쓸모없는 인간들이 늘어남으로써 이 세계가 퇴락할 것을 걱정했다. 그 결과 많은 나라들(미국, 캐나다, 오스트레일리아, 스웨덴, 덴마크, 핀란드, 스위스 등)이 인권에 부정적인 영향을 미치는 우생학* 프로그램 연구에 국가적 지원을 하였다. 예컨대, 미국에서는 1907년에서 1963년까지 64,000명의 사람들이 우생학적 법률에 따라 불임 시술을 받아야 했다. 정신장애인, 농아, 맹인, 뇌전증 환자, 노숙자 등이 그 대상이었다. 물론 그렇게 광범위하게 시행된 강제적인 불임시술도 '열등한 사람들을' 체계적으로 솎아낸 독일 나치(Nazis)의 우생학 프로그램에 비교할 수는 없다.

홀로코스트는 인간의 마음에 커다란 상흔을 남겼다. 같은 역사가 다시 반복되지 않도록 각오를 다지기 위해 대부분의 사람들은 나치의 이데올로기를 연상시키는 생각이라면 그 어떤 것이라도 거부해왔다(하지만, 역사는 반복되고 말았다는 사실을 기억해야만 한다. 예를 들어 1994년 르완다 집단학살이 그렇다. 그때 세계는 아무것도 하지 않았다. 80만 명에 이르는 아프리카인들이 도살당할 때 그저 멍하니 손만 만지작거리고 있었을 뿐이었다). 특히 우생학적 운동은 그 어떤 형태든 비난받곤 했는데 그 이름 속에 담긴 끔찍한 범죄들 때문이었다. 물론 몇몇 부드러운 우생학적 프로그램들이 최종적으로 폐기될 때까지는 제법 오랜 시간이 걸렸기는 했지만 말이다. 이러한 프로그램들은 이제 거의 대부분 비난을 면치 못하고 있다. 그런 프로그램들을 지배했던 비전을 통해 새롭고 더 나은 세상을 창조한다는 목적은 이제 완전히 낡은 유물이 되었다.

*우생학(eugenics): 인류를 유전학적으로 개량하고자 여러 가지 조건과 인자 등을 연구하는 학문

2-1. 제시문 <가>와 <나>에서 드러난 공통적인 인간상을 설명해 보시오. (300±30자)

2-2. 제시문 <다>의 내용을 토대로 위 [문제 2-1]의 인간상을 비판적으로 평가해 보시오. (600±60자)

1-1번 답안	(반드시 해당 문제와 일치 하여야 함)

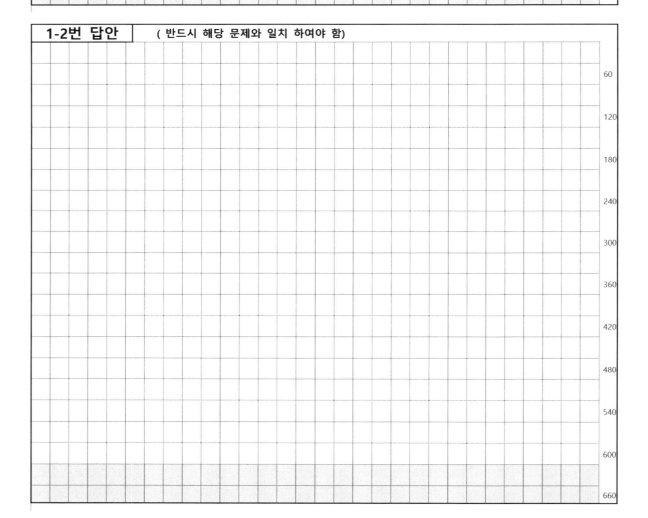

1-2번 답안	(반드시 해당 문제와 일치 하여야 함)

숙명여자대학교

2-1번 답안　　(반드시 해당 문제와 일치 하여야 함)

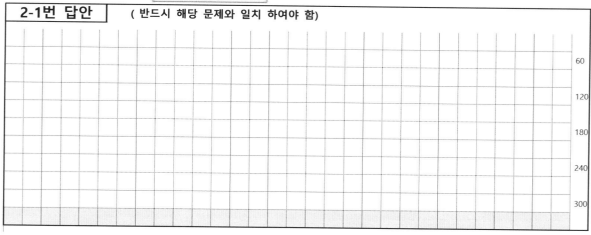

2-2번 답안　　(반드시 해당 문제와 일치 하여야 함)

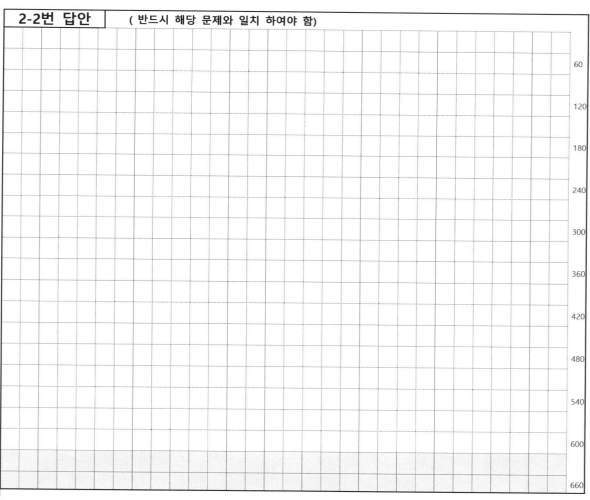

10. 2021학년도 숙명여대 수시 논술 (1회차)

계열 문항 1

〈가〉

"얘들아, 너희 말을 엿들은 걸 용서해 주렴. 하지만 너희가 바로 내 뒤에 있었기 때문에 듣지 않을 수 없었다. 피터, 조금 전 고든한테 했던 얘기, 다른 친구들한테도 해 주겠니?"

피터는 어깨를 으쓱해 보였다. "제가 만약 배우가 된다면 어떤 느낌일까 얘기하고 있었어요. 어떤 삶을 살게 될까 하고 말이에요."

"그래. 넌 고든에게 최고의 기회를 갖기 위해 미국에 가야겠다고 말하고 있었지." 루시 선생님이 말했다.

피터는 다시 어깨를 으쓱해 보이고는 조용히 중얼거렸다. "그렇습니다. 선생님."

루시 선생님은 이제 우리 모두를 향해 눈길을 돌리며 말했다. "나쁜 뜻에서 그런 말을 한 게 아니라는 건 나도 안다. 하지만 이런 얘기가 너무 많은 것 같다. 이런 얘기가 줄곧 들려오고 그런 얘기를 계속하는 게 허용되고 있는데, 그건 옳지 않다. 다른 누군가가 너희한테 얘기해 주지 않는다면, 내가 말해 주마. 내가 볼 때 문제는 너희가 들었으되 듣지 못했다는 거야. 너희는 사태가 어떻게 될 건지 듣긴 했지만, 아무도 진짜 이해하지 못하고 있어. 이런 식으로 내버려 두어도 좋다고 생각하는 사람들도 있지만, 감히 말하건대 난 그렇지 않아. 너희가 앞으로 좋은 삶을 살려면, 당연히 필요한 사항을 알아야 하고, 그것도 제대로 알아야 해. 너희 중 아무도 미국에 갈 수 없고, 너희 중 아무도 영화배우가 될 수 없어. 또 일전에 누군가가 슈퍼마켓에서 일하겠다고 얘기하는 걸 들었는데, 너희 중 아무도 그럴 수 없어. 너희 삶은 이미 정해져 있다. 성인이 되어 중년이 되기도 전에 너희는 기증을 시작하게 된다. 그것이야말로 너희 각자가 만들어진 이유지. 너희는 비디오에 나오는 배우들과 같은 인간이 아니야. 심지어 나와도 다른 존재들이다. 너희는 하나의 목적을 위해 이 세상에 왔고, 한 사람도 예외 없이 너희의 미래는 정해져 있어. 그러니까 더 이상 그런 식으로 얘기해서는 안 된다. 너희는 얼마 안 있어 헤일섬을 떠날 것이고, 머지않은 날에 첫 기증을 준비해야 할 시간이 올 거야. 그 사실을 잊어서는 안 된다. 너희가 앞으로 좋은 삶을 살려면, 너희 모두는 너희 자신이 누구인지, 그리고 너희들 앞에 어떤 삶이 놓여 있는지 알아야 해."

루시 선생님은 우리들이 실제 인간을 모델로 하여 인간에게 장기를 기증하기 위해 태어난 클론이라는 것, 헤일섬은 그렇게 태어난 아이들을 위한 학교라는 것, 기증을 시작하기 전에 우리 모두가 얼마간 간병인 일을 하게 된다는 것, 일반적인 기증의 간격, 회복 센터에서의 생활 등 '도너'(donor)로서의 운명에 대해 설명했다.

〈나〉

생명공학 분야의 과학자들은 모두 인간의 장애나 질병을 치료하고자 하는 공통의 목표를 가지고 있다. 이 과정에서 과학자들은 인간의 몸과 마음을 치료하려면 반드시 인간의 몸과 마음에 대해 이해해야 한다는 사실을 깨달았다. 그래야 인간의 몸과 마음을 개선할 수 있는 힘을 얻게 된다는 것이다. 우리는 그 힘으로 더 뛰어난 학습 능력과 기억력, 강한 근육, 그리고 더 긴 수명을 얻을 수 있다.

　우리 자신을 개조하는 이러한 힘이 사회에 이득이 될 것이라고 모두가 확신하는 것은 아니다. 2000년 조지 부시 대통령은 생명공학 분야의 문제에 대해 조언해 줄 생명윤리자문위원회를 만들었다. 이 위원회는 2004년 《치료의 한계를 넘어》라는 보고서에서 유전자 조작 및 복제 기술은 생명의 가치를 떨어뜨리고 부모 자식 간의 자연스러운 관계를 붕괴시킨다고 주장했다. 인간의 노화를 늦추는 것은 나이 든 사람들이 계속 권력에 집착하도록 만듦으로써 사회적 정체를 유발할 것이며, 또 인간의 능력을 증진시키는 기술은 안전성이 보장돼 있지 않고 빈부 격차를 더욱 넓혀 분배 정의에 어긋날 수 있다는 점도 지적했다. 궁극적으로 자문위원회는 주어진 자연적 상태를 존중해야 하고, 이를 개선하기 위해 애쓰는 것은 오만이며, 인간 고유의 존엄성을 위협하는 것이라 주장했다.

　하지만 이와 같은 경고에 대해서는 다음과 같은 이유로 반론할 수 있다. 우선 인간의 능력 강화를 주장하는 데에는 실질적인 이유가 있다. 치료와 능력 강화는 밀접히 맞물려 있기 때문에 과학자들은 그 사이에 분명한 선을 그을 수 없다. 알츠하이머병, 심장병, 암 등에 대한 치료와 우리 자신의 능력을 증강하는 연구는 밀접하게 연결되어 있다. 게다가 생명공학 연구를 실제적으로 금지할 수도 없다. 만일 우리의 신체 능력을 강화하고 생명을 연장하며 스트레스를 줄이는 약물이 발견된다면 세상의 어떤 규제도 그 약의 확산을 막지 못할 것이다.

　이러한 논쟁의 핵심에는 '자유'의 문제가 놓여 있다. 인간의 심신을 바꿀 권리는 개인이나 가족에게 있는가, 아니면 국가에 있는가? 민주 사회에서 그런 결정은 각 개인이 하는 것이지 국가가 하는 게 아니다. 서구 민주주의는 정부가 개인의 자유를 보호하기 위해 존재한다는 원칙에 바탕을 두고 있으며, 미국의 독립선언도 "모든 사람은 태어나면서부터 평등하며, 조물주에 의해 양도할 수 없는 천부적 권리를 부여받았으며, 그 중에는 생명과 자유와 행복을 추구할 권리가 포함돼 있다."라고 선언하고 있다.

　그리고 본질적으로 인간이 자기 자신을 바꾸고 개선하려는 욕망은 자연스러운 것이며 우리 모두가 지닌 근본적 특징 중의 하나다. 인간이란 종은 지금까지 늘 더 강하게, 더 현명하게, 더 오래 살 방법을 찾아 왔다. 지금은 당연한 것으로 여겨지는 백신 접종이나 수혈 등도 처음 도입되었을 때는 부자연스럽거나 부도덕하다는 말을 들었다. 하지만 오늘날 우리는 이를 자연스럽게 받아들인다. 새로운 발견들은 종종 우리의 정체성, 우리 삶의 의미에 대한 관념을 뒤집어엎는다. 지구가 우주의 중심이 아니라는 갈릴레오의 발견이 우주에서 인간이 차지하는 위상에 도전하였듯이, 다윈의 진화론이 인간의 자연적 위상에 대한 관념을 바꾸었듯이, 이제 과학은 현재의 다양한 윤리적 문제와 직면하면서도 인간의 정신과 육체가 고정돼 바뀔 수 없다는 믿음에 도전하고 있다.

〈다〉

　'사람-되기'는 종종 '동물-되지 않기'로 이해되었다. 동물은 생각이 없고, 말을 못하고, 감각은 단순하며, 자연의 법칙과 타고난 본능에 충실하게 순응하며 살아가는 존재로 규정된다. 문명과 발전의 관점에서 '사람-되기'는 그런 동물로부터 뛰쳐나오는 일이었다. 교육은 사람을 만드는 것이고, 동물에서 인간적인 것을 끄집어내는 일이었다. 이성의 존재, 말로 하는 정치, 그것이 곧 '사람-되기'의 조건이었다. 하지만 그 안에서 동물은 결여의 존재로 표상된다. 동물은 이성이 없고, 말을 못하며, 법과 윤리와 도덕이 없다. 그래서 그것들은 정치도 없다. '그것들'은 이름 없는 자들을 부르는 말이었고, 사람이 덜된 존재를 부르는 말이었다. 여자들과 아이들과 원주민들과 노예들이 그렇게 불렸다.

　이러한 '동물과 인간'이라는 구도는 어떻게 해체될 수 있을까? 우리는 어떻게 동물이면서도 정치적 주체인 존재가 될 수 있을까? 자크 데리다의 '짐승과 주권자' 논의는 '동물과 인간'의 생물학적 구분을 정치적 관계로 전환시키는 새로운 패러다임을 제공한다. 짐승은 자연적으로 태어나는 것이 아니라 주권자에 의해서 창조된다. 조르조 아감벤의 '벌거벗은 생명'도 시민에서 짐승으로 환원된 존재다. '벌거벗음'이란 시민의 보호복인 법이라는 옷이 벗겨진 자를 의미한다. 두뇌와 영혼과 마음을 지니고 있다 하더라도, 모든 법적 권리를 박탈당한 자는 한 마리의 짐승이 될 뿐이다. 동시에 이것은 역설적으로 주권이 짐승에 의해 탄생한다는 뜻이기도 하다. 인간을 짐승으로 만들 수 있는 자만이 주권자가 될 수 있기 때문이다. 인권도 시민권도 없는 자, 자기 자신에 대해 아무것도 결정할 수 없는 자, 그들이 곧 짐승이다. 짐승은 인간이 아닌 동물이 아니라 정치적 권리가 없는 모든 무권리의 존재다. 그리고 그 사이에 인간도 짐승도 아닌 혼성체들이 출현한다. 그러면 이제 우리는 물어볼 수 있게 된다. 현대 세계의 주권자는 누구이며, '시민인 인간'과 '짐승인 인간' 사이에서 나는 어디에 속한 존재인지, 아마도 완전한 시민으로부터 가장 멀리 있는 존재는 이미 인간보다 동물에 더 가까울 것이다.

　'짐승인 인간'에 가해지는 '시민인 인간'의 착취 관계를 해체하고 새롭게 관계를 재구성하려면, 그것은 누구의 해방에서부터 시작되어야 할까. 당연히 가장 최종적인 피착취자, 정치적 최약자들과 무권리자, 가장 동물에 가까운 존재, 동물 그 자신으로부터일 것이다. '동물-되기'는 바로 그 동물로서, 동물과 함께 해방되기 위한 모든 동물적 존재의 실천론이라고 할 수 있다.

1. 〈나〉를 통해 〈가〉의 문제적 상황이 발생한 이유를 설명하고, 이에 대해 〈다〉의 논지에서 비판하시오. (1,000±100자)

[대학 전형 변경으로 글자수 제한이 바뀜, 논술 연습용 답안지 제외]

〈가〉

"철학자의 성향을 타고 난 사람이 적절한 가르침을 받게 될 경우에는 제대로 자라서 온갖 '훌륭함'(arete)을 갖추게 될 것이 필연적이지만, 만약에 적절하지 못한 환경에서 성장한다면, 어떤 신이 구원해 주지 않는 한, 모든 면에서 정반대의 상태에 이를 걸세. 다중(多衆) 자신이 '막강한 교사들'이어서, 젊은이거나 노인이거나, 또는 남자거나 여자거나, 자신이 바라는 사람들로 교육하고 만들어내지 않겠는가?"

"언제 그렇게 한다는 말씀입니까?"

"그야 많은 사람이 민회(民會)나 법정, 극장이나 그 밖의 다른 어떤 집회에 떠들썩거리며 모여 앉아서는, 발언과 행동 가운데서 어떤 것은 비난하고 어떤 것은 칭찬할 때이겠는데, 어느 경우든 그들은 극단적으로 나가며, 고함을 지르며 박수를 쳐대네. 게다가 주위 암벽이 그걸 울리게 하여 비난과 칭찬의 소음을 두 배로 증폭시키네. 이런 상황에서 젊은이들의 심정은 어떻게 되겠는가? 어떤 교육이 그들을 위해서 버텨 주어 그와 같은 비난이나 칭찬에 휩쓸리지 않도록 하겠는가? 또한 같은 것을 두고서도 아름다운 것이라거나 추한 것이라 말하는 일을 어떤 교육이 막을 수 있겠는가?"

"그렇게 되지 못할 게 다분히 필연적입니다, 소크라테스 선생님."

"교사를 자처하는 다중은 말로써 설득하지 못하는 경우에는 행동으로 강제적인 제재를 가하네. 이들은 설득되지 않는 사람의 시민권을 박탈한다는 것을 자네는 모르고 있는가?"

"분명히 그런 심한 짓들을 합니다."

"그렇다면 다른 어떤 소피스트가 또는 어떤 개인이 말로써 이들과 맞서거나 제압할 것이라고 자네는 생각하는가?"

"아무도 그러지 않을 것입니다."

"그러기는커녕, 실은 그런 시도조차도 어리석은 짓이 될 걸세. (⋯⋯) 지혜롭다고 자처하는 소피스트들 가운데 누구도, 다중이 모였을 때 갖게 되는 교조적인 믿음(dogma)과 다른 것을 가르치지는 않으며, 또한 이를 도리어 지혜(sophia)라 일컫는다는 데 대해서 말일세. 이 신념들과 욕망들 가운데 어느 것이 진실로 아름다운 것이거나 추한 것인지, 또는 좋은 것이거나 나쁜 것인지, 그리고 또한 올바르거나 올바르지 않은 것인지를 전혀 모르면서도, 이 모든 걸 다중의 의견에 따라 이름 짓는데, 이들이 기뻐하는 것들은 좋은 것이라고 일컫는 반면에, 성가셔하는 것들은 나쁜 것이라고 일컫네. 그러니 이상한 교육이 되지 않겠는가?"

"그렇게 생각합니다."

〈나〉

현대 문명이 전반적으로 그러하듯이, 대의(代議)민주주의 정치도 집단적 평범성을 향해 나아가는 경향이 있다. 공동체 내의 교육 수준이 낮은 계급의 수중에 주요 권력을 두게 하려는 개혁 시도가 더욱 빈번히 진행되고 있는데, 이러한 경향은 전체 인구의 다수를 점하는 민중에게 선거권이 확대됨에 따라 더욱 뚜렷해졌다. 사람들은 자기 계층 사람을 대표로 선출하기 마련인데, 그런 까닭에 지역 선거구의 다수 득표자들로 구성되는 의회의 다수는 민중 출신으로 채워질 것이다. '모두'가 아닌, '다수'만을 대표하는 민주주의 정치에서 교육받은 소수는 대의기구에 진출하기가 어렵고, 그래서 이들은 자신의 주장을 펼 기회조차 갖기 어렵다. 그런데 의회에서 우수한 자가 견해를 발언하는 것과 발언하지 않는 것 사이에는 커다란 차이가 존재한다.

고대 민주주의에서 유능한 인물은 그 재능이 반드시 드러날 수밖에 없었다. 그에게는 발언할 연단이 개방되어 있었다. 유능한 인물이 공동체를 향해 공개적인 발언을 하는 데 누구의 동의도 필요하지 않았다. 그런데 오늘날 대의제로 운영되는 민주주의 정치에서는 그렇지 않다. 그래서 대의민주주의의 옹호자들조차 고대 그리스의 데모스테네스같이 유능한 인물이 평생토록 의회에 진출하지 못해서 끝내 나라를 구할 연설을 하지 못하게 될 것에 대해 우려하고 있다. 만약 단 몇 명이라도 이 나라의 최고 지성이 대의기구 내에서 의석을 확보할 수 있다면 어떻게 될까? 비록 나머지 의원들이 평범한 지성을 갖추고 있다고 할지라도 한두 명의 최고 지성은 의회의 법안 심의 과정에서 동료 의원들에게 자신의 존재를 뚜렷이 드러내며 긍정적 영향력을 발휘할 것이다. 이는 대중의 여론과 감정이 최고 지성들에게 적대적인 상황에서도 마찬가지일 것이다.

이제 민주정체는 권력을 영구화하려는 다수의 속성에 맞서 소수가 견해를 펼칠 수 있는 사회적 거점을 마련해야 한다. 소수의 견해와 이익을 보호하는 데 좋은 방법은 지역별 다수 득표자만으로 구성되는 단순 대의제에 일정 숫자의 교육받은 소수가 비례대표로 의회에 진출하는 것이다. 지성과 능력을 갖춘 도덕적 세력으로서 교육받은 소수는 의결 과정에서 그들의 숫자보다 훨씬 더 큰 영향력을 발휘할 것이다. 이러한 제도는 의회가 다수 여론의 압력을 이겨내고 대신 이성과 정의 안에 머물게 하여 민주적 의사 결정의 약점을 극복하는 데 도움이 될 것이다. 민주정체의 민중은 이러한 방법으로 그들보다 더 높은 수준의 지적이고 인격적인 지도자를 구할 수 있고, 현대 민주주의는 페리클레스같은 우수한 지성으로 구성된 집단에게서 상시적인 도움을 얻게 될 것이다.

〈다〉

공론조사(deliberative polling)는 《민주주의와 공론조사》(1991)에서 피시킨이 처음 제안했는데, 갈등 사안을 두고 대립하는 찬반 양측의 시민에게 정보를 제공하고 숙의(熟議) 과정을 갖게 한 다음에 양측의 의견 변화를 측정하는 조사 기법이다.

피시킨의 공론조사는 민주적 의사 결정의 핵심 요건인 정치적 평등과 숙의를 모두 충족시킨다는 장점이 있다. 국민이 직접 선출하지는 않았지만 나름의 방식으로 대표성과 객관성을 갖게끔 구성된 공론조사 시민참여단은 전문가 설명, 조별 토론 등의 숙의 과정을 통해서 합리적 판단에 필요한 충분한 정보를 얻게 된다. 일반적인 여론조사가 일회성으로 진행되는 데 비해, 공론조사는 숙의 과정을 거치기 때문에 심층적인 조사 결과를 얻을 수 있다는 장점이 있다. 공론화 과정에서 정부가 시민들이 원하는 것을 파악할 기회를 얻을 수 있다는 점에서 시민 견해가 정책결정에 반영되는 민주적인 소통 과정으로 볼 수 있다. 또한 공론조사는 대의민주주의가 국민의 뜻을 제대로 반영하지 못하는 경우에 그것을 보완하는 '예외적 수단'으로서 의미가 있다.

피시킨이 제안한 공론조사는 크게 네 단계를 거친다. 첫 단계는 주제에 대한 1차 여론조사이고, 두 번째 단계는 1차 여론조사 응답자 가운데에서 성, 연령, 지역별로 대표성 있는 토론 참가자(시민참여단)를 선정하는 것이다. 세 번째 단계는 시민참여단을 한 자리에 모아 균형 잡힌 정보를 제공하고 전문가 강연과 상호 토론을 통한 공론화 과정을 밟도록 하는 것이다. 이 과정에서 심도 있는 학습과 토론을 위해 1박 2일 이상의 합숙이 권장된다. 마지막 단계에서는 시민참여단을 대상으로 1차 여론조사와 동일한 질문으로 2차 여론조사를 실시하는데, 이 2차 조사 결과는 정보 습득과 토론이라는 숙의 과정을 통해 형성된 결과이다. 여기서 도출된 2차 여론조사 결과가 1차 여론조사와 비교해 어떻게 달라지는지가 공론조사의 핵심이다.

2. 〈가〉와 〈나〉의 공통점과 차이점을 서술하고, 〈다〉의 '공론조사'가 〈나〉에서 제기된 문제와 그 대안의 한계를 모두 극복할 수 있는 방안으로 적절한지 평가하시오. (1,000자±100자)

[대학 전형 변경으로 글자수 제한이 바뀜, 논술 연습용 답안지 제외]

11. 2021학년도 숙명여대 수시 논술 (2회차)

계열 문항 1

〈가〉

타자 담론은 식민 주체의 구성을 바탕으로 식민 지배를 합법화하는 방편이 된다는 의미에서 제국에 대한 인식적 지도 그리기 작업의 필수 요소가 된다. 그것은 두 문화 사이의 공간적 차이를 설정하는 장소의 문제와도 관계를 맺는다. 타자 담론은 재현 및 장소의 문제와 제국을 이해하는 핵심 요소인 것이다. 타자 담론은 무엇보다 문화 간의 차이를 관계적 현상이 아니라 절대적 현상으로 파악한다. 그리하여 그것은 타자의 정체성뿐만 아니라 제국의 정체성을 확립하는 최적의 수단이 된다. 문화와 문화의 관계에서 한 문화의 정체성은 바로 자아를 타문화로부터 구분하는 방식에 의해 가장 분명하게 확보되기 때문이다.

사실 서구의 식민 지배에 대한 정당성이 서구가 지닌 경제력과 군사력의 우위가 아니라, 과학·문화·정치 등의 제 분야에서 서구가 구축한 지식이 보편적인 것이라는 자기 신념에서 나온다는 것은 타자 담론을 보증하는 확실한 지표이다. 결국 세계를 서구의 시각에서 이해해야 한다는 식민주의는 식민 지배자들에게는 단순한 믿음이 아니라 하나의 진리로 인식된다. 이 과정에서 신세계의 원주민은 야만과 비이성의 특징을 가진 식민주의 담론의 대상이 된다. 이질적인 공간의 원주민은 야만인이며 동물과 같은 존재일 뿐, 서구인과 동등한 지위를 가진 인격체가 아니기 때문이다.

서구 세계 바깥의 타문화를 야만적 타자로 규정하는 식민주의적 사고는 아주 오래전부터 서구 세계에 존재했던 뿌리 깊은 전통이다. 야만인을 뜻하는 영어 'barbarian'의 어원은 그리스어 'barbaros'에 있는데, 그리스인들은 이 말을 자신들보다 열등한 종족을 자신들과 구분하기 위해 사용했다. 원래 '낯선 언어를 사용하는 자들'이란 뜻의 이 용어는 그리스어를 사용하지 않는 타자를 비이성적인 인간 이하의 존재로 규정하기 위해 쓰였다. 이를 시작으로 '야만인'은 이후 서구가 만들어낸 타자 담론에서 빼놓을 수 없는 핵심적인 용어가 되었다. 이와 같이 타자 담론은 타문화의 폄하를 통해 폭력과 침략, 정복을 정당화하는 식민주의 이념으로 자리 잡은 것이다.

〈나〉

나는 내가 발견한 나라들을 정복하는 일이 페르디난도 코르테스*가 벌거벗은 아메리카 인디언들을 정복하는 것처럼 쉬운 일인지 의심이 든다. (……) 물론 내가 발견한 나라들을 국왕 폐하의 영토로 개척하자는 주장에 대해 내가 소극적인 데에는 또 다른 이유가 있다. 사실을 말하자면, 나는 이런 일들에 있어서 다소 망설임을 가진 사람이다. 예를 들어, 어떤 해적 일당이 폭풍우 탓에 미지의 세계로 밀려갔다고 치자. 마침내 한 소년이 중간 돛대에 올라가 육지를 발견한다. 그들은 강탈과 약탈을 목적으로 그곳에 상륙한 뒤, 순진무구한 원주민들을 발견하고 그들로부터 극진한 환대를 받는다. 그들은 그 나라에 새로운 이름을 붙이고 자신들의 국왕을 대신하여 그 나라를 공식적으로 접수한다. 그리고 기념으로 그곳에 썩은 판자나 돌을 세운다. 그들은 또 이삼십 명의 원주민들을 살육하고 그들 중 한 쌍을 강제로 모국으로 데리고 돌아와 사면을 받는다. 그럼 이때부터 하늘이 부여한 권리에 따라 그들 나라의 새 영토의 역사가 시작되는 것이다. 즉시 함대가 파견되고, 원주민들은 추방되거나 학살된다. 그곳의 원주민 지도자들은 황금을 내놓으라고 고문을 당한다. 비인간적이며 탐욕적인 모든 행동들에 대하여 자유로운 허가장이 제공된다. 그 나라의 대지는 원주민들이 흘린 피로 붉게 물든다. 이런 경건한 원정에 참여한 살육자 집단이 바로, 우상을 숭배하는 야만인들을 개종시키고 교화하기 위해 보내어지는 오늘날의 **식민지 건설자**인 것이다.

* 스페인의 하급 귀족 출신으로, 멕시코의 아즈텍 문명을 정복한 인물.

〈다〉

길동은 벼 일천 석을 얻어 삼천 명의 무리를 거느리고 조선을 하직해 큰 바다에 배를 띄워 남경 땅 제도라는 섬으로 들어갔다. 거기서 수천 호의 집을 짓고 농사에 힘쓰며, 재주를 배워 무기 창고를 짓고 군법을 연습했다. 이곳은 본래 깊고도 아늑한 곳이라 누구도 알 사람이 없고 풍족했다. 하루는 길동이 화살촉에 바를 약을 구하러 배를 띄워 망당산으로 향했다. (……) 길동이 망당산을 향하여 약을 캐며 깊이 들어가 보니, 어느덧 날이 저물었다. 길동이 어찌할까 주저하고 있는데, 마침 사람 소리가 들리며 등불 빛이 밝게 비치는 것이 보였다. 마음속으로 다행스럽게 생각하고 그곳을 찾아가니, 사람이 아니라 괴물 여럿이 무리를 지어 앉아 서로 지껄이고 있었다. 가만히 엿보니, 그 모습은 비록 사람이나 짐승의 무리가 분명했다. 원래 이것은 '울동'이라는 짐승인데, 여러 해 동안 산속에 있어 변화가 무궁했다. 길동이 생각하기를 '내 두루 다녀보았으나 이 같은 것은 처음 보는 것이라. 이제 저것을 잡아 세상 사람들에게 보이리라.' 하고 몸을 감추어 활을 쏘니, 그중에 우두머리 놈이 맞았다. (……) "우리는 이곳에 산 지 오래되었는데, 우리 왕이 부인을 새로 정하고 지난밤 잔치를 하다가 하늘에서 내린 재앙을 맞아서 위중하다. 그대가 명의라고 하니 선약으로 왕의 병을 고치면 큰 상을 받으리라." 길동이 듣고 생각하였다. '이놈이 어젯밤에 내 화살에 다친 놈이로구나.' 길동이 허락하였다. (……) 길동이 평소 온갖 환약을 가지고 다녔는데, 이때 그중 독한 약을 찾아내어 작은 요괴에게 주며 말했다. "이 약을 급히 갈아 써라." 모든 요괴가 크게 기뻐하며 즉시 더운물에 갈아 먹이니, 잠시 후에 대왕이 배를 두드리고 눈을 실룩이며 소리를 지르다가 두어 번 뛰어오르더니 죽었다. 작은 요괴들이 이 광경을 보고 한꺼번에 달려들었다. 모든 요괴가 아무리 천 년을 묵어 조화를 부린다고는 하나 어찌 길동의 신기한 술법을 당하리오. 한바탕 싸움으로 모든 요괴를 다 죽이고, 도로 요괴가 사는 곳으로 들어가 남은 요괴까지 모조리 죽였다. (……) 세월이 물같이 흘러 모든 영웅을 모아 무예를 연습하며 농업에 힘쓰니, 불과 몇 년 사이에 군대와 곡식이 모두 풍족해졌는데, 이를 아는 이는 아무도 없었다. 이때 율도국이란 나라가 있었으니, 그 넓이는 수천 리요, 사방이 막혀 있어 과연 견고하고 풍요로운 나라였다. 길동이 매양 이곳에 뜻을 두고 왕위를 **빼앗고자** 했는데, 이제 기운이 활발하여 세상에 두려워할 사람이 없게 되었다. 하루는 길동이 사람들을 불러 의논했다. "내 처음 사방으로 다닐 적에 율도국에 뜻을 두고 이곳에 머물렀는데, 이제 마음이 크게 움직이니 운수가 열렸음을 알겠노라. 그대들이 나를 위해 군대를 징발하면 율도국 치는 것은 두려운 일이 아닐 것이니, 어찌 큰일을 도모하지 못하겠는가?" 길동이 스스로 선봉이 되어 정예군사 오만 명을 거느리고 날을 정해 출병하니, 이때는 갑자년 음력 9월이었다. (……) 격서를 써 율도 왕에게 전하니, 그 내용은 다음과 같았다. "의병장 홍길동이 글월을 율도 왕에게 전하노라. 대저 임금은 한 사람의 임금이 아니요, 천하 사람의 임금이라. 이러므로 탕왕이 걸을 정벌하시고 무왕이 주를 정벌하신 것은 하늘의 이치로 자연히 된 일이라. 내 일찍이 군사를 일으켜 율도국을 치매, 먼저 철봉성에 항복받고 물밀듯이 밀고 들어가니 지나는 곳마다 투항하지 않은 자가 없었도다. 이제 왕이 싸우고자 하면 싸우고, 그렇지 아니하면 일찍 항복하여 살기를 도모하라." 율도 왕이 끝까지 다 읽은 후 놀라 말하기를, "우리나라가 전적으로 철봉성을 믿고 지내왔거늘, 이제 철봉성을 잃었으니 어찌 적의 형세를 당하리오."하고는 자결하니, 세자와 왕비가 따라 모두 자결했다. 길동이 성안으로 들어가 백성을 위로하고 소와 양을 잡아 여러 장수와 군졸에게 베풀었다. 길동이 왕위에 오르니, 때는 을축년 정월 28일이었다.

1. 〈가〉의 논지를 활용하여 〈나〉에서 '나'가 '식민지 건설자'에 대해 보인 태도를 설명하고, 이에 근거하여 〈다〉에 그려진 '길동'의 행위를 평가하시오. (1,000±100자)

[대학 전형 변경으로 글자수 제한이 바뀜, 논술 연습용 답안지 제외]

〈가〉

　세계화 현상을 이해하기 위해서는 '세계화'의 두 현상을 구분하는 것이 유용하다. 하나는 '세계화되는 지역주의'(globalized localism)고, 다른 하나는 '지역화되는 세계주의'(localized globalism)다. 전자는 특정한 지역에서 생겨난 현상이 세계화되는 경우다. 예를 들면, 영어의 만국공용어화, 미국의 패스트푸드 또는 팝뮤직의 세계 정복이나 컴퓨터 소프트웨어 분야에서 미국의 지적재산권법이 국제 표준으로 통용되는 현상 등이 있다. 법의 영역에서 세계화는 서구의 상거래 방식, 과학 기술, 법적 기술 등이 전 지구적으로 확산되는 것이다. 지역화되는 세계주의는 특정한 지역 국가들의 조건과 구조, 사람들의 행위가 초국가적 영향에 대응하여 해체되고 재구조화되는 변화 현상을 말한다. 가령 외국인의 관광이 남미 지역 국가들의 토착 수공업에 영향을 미쳐 수공업의 방향과 구조가 바뀌는 현상, 초국가적 거래 현실에 발맞추어 한국의 상업관련 법이 변화하는 현상, 이른바 '구조 조정'의 일환으로 농업 분야에서 추진되는 무역 자유화의 흐름 등이 있다. 특히 자본의 세계화 과정에서 일어나는 경제구조의 세계화가 대표적이다.

　이러한 관점에서 본다면, 세계화에서는 일종의 국제적 분업이 이루어진다는 것을 확인하게 된다. 세계화로 묘사되는 세계 체계는, 세계화되는 지역주의와 지역화되는 세계주의로 구성된 일종의 그물망 구조를 이루고 있다. 이른바 선진국들은 세계화되는 지역주의를 수행하며, 후진국들과 발전도상국들은 지역화되는 세계주의를 선택하도록 강제된다. 따라서 세계화는 세계 체계 내에 있는 중심 국가들, 주변 국가들, 반(半)주변 국가들 사이의 불평등 관계로 이루어진 위계질서를 계속해서 재생산하고 고착화한다. 이러한 세계화의 측면을 '체계 순응적 세계화'라고 명명할 수도 있을 것이다. 세계화되는 지역주의나 지역화되는 세계주의로 나타나는 세계화는, 하버마스의 표현법을 적용하여 확대해 보면, '체계가 생활 세계를 식민화하는 현상'이 전 지구적 차원에서 확대 심화되어 관철된 것이다.

　이러한 측면에서만 본다면, 세계화란 중심 국가들에서 작동하는 경제시장 및 행정의 논리가 주변 국가의 체계와 생활 세계를 식민화하는 의미를 넘어서는 과정에 이른다. 이렇게 파악된 세계화는 신자유주의 이데올로기와 결합하여 자본을 우위에 두는 반자유적, 반인권적, 반민주적인 지배 구조를 고착화하고 재생산하는 과정이 되는 것이다. 또한 세계화의 흐름은 각국의 고유한 법 문화를 해체하고 주권도 경시하는 결과로 이어질 것이라는 결론을 내릴 수 있을 것이다.

〈나〉

　세계무역기구(WTO) 체제는 자유로운 무역을 목표로 삼고, 관세와 무역에 관한 일반협정(GATT)과 무역관련 지적재산권협정(TRIPs) 등으로 이루어진 무역규범을 회원국에 적용한다. 회원국은 자국의 법과 정책, 조치 등을 통해 이를 이행하고 준수할 법적 의무가 있다. WTO 체제는 자유로운 무역을 방해하는 차별의 철폐를 주요 원칙으로 삼고 있다. '최혜국 대우' 원칙에 따라, 각국은 자기 나라의 무역 상대국들을 모두 똑같이 대해주어야 한다. '내국민 대우' 원칙에 따라, 외국 상품에 대해서도 자국 상품과 똑같은 대우를 해주어야 한다. 이 같은 원칙은 직접적 차별에만 국한되지 않고, 국내 정책의 간접적 효과에도 적용된다. 예를 들어, 외국 기업의 접근성을 제한하는 정책으로 외국산 제품을 수입하기가 어려워지는 경우에도 적용된다. 그리하여 각국 정부가 자유롭게 택할 수 있는 법과 정책, 조치의 폭은 좁아질 수밖에 없다.

TRIPs에서는 더욱 두드러진다. 이 협정은 국가가 특허권 등록 정책을 결정할 수 있는 권한을 줄였을 뿐 아니라, 생명권, 건강권, 식량권 등의 증진을 위해 시행할 수 있는 국가 권한을 약화시켰다. 특히 국민의 생명권을 보장할 국가 권한의 행사를 심각하게 훼손하였다는 강한 비판이 광범위하게 제기되었다. 그리하여 2001년 도하 협정에서 어느 정도 양보가 이루어졌다. 심각한 보건 위기 상황을 야기한 질병 치료를 위해 꼭 필요한 경우나 특허권자가 권리를 남용할 경우, 예를 들어 구매자가 도저히 구입할 수 없을 정도의 높은 가격으로 약품을 판매한 경우에는 각국이 '강제실시' 제도를 시행하여 특허권 여부와 상관없이 복제 약을 제조할 수 있도록 허용하였다. 그런데 실제로 이를 시행하기란 쉽지 않다. 2006년 브라질에서, 2007년 타이에서, 강제실시를 시행하려고 했을 때 그 어려움이 드러났다. 당시 다국적 제약회사들은 강제실시 착수를 멈추지 않으면 투자를 중단하겠다고 위협하는 전략을 구사하였다. 2001년에도 국내에 만연한 에이즈에 대처하기 위해 남아프리카공화국이 복제 약을 쉽게 생산하거나 수입할 수 있도록 허용하는 국내법을 제정하였는데, 이때 제약회사들은 TRIPs를 위반하는 국내법을 통과시켰다는 이유로 남아프리카공화국 정부를 제소하려고 하였다. 다행히 제약회사들이 다양한 국제적 압력에 굴복하여 제소를 철회하긴 했지만 이런 위험은 여전하다.

WTO 체제하에서는 정부가 인권을 위해 무역을 제한할 수 있는 법적 근거가 취약하다. GATT에는 인권과 연결되는 조항으로 제20조가 있다. 이 조항에서는 자유 무역 원칙보다 '비(非)교역성 공공 가치'를 예외적으로 우선할 수 있는 조치로, '공중도덕을 보호하는 데 필요한 조치', '인간, 동식물 또는 건강을 보호하는 데 필요한 조치', '공급이 부족한 제품을 획득하거나 분배하는 데 불가결한 조치' 등을 열거하고 있다. 그런데 WTO 분쟁해결기구는 이 조항의 발동 요건을 상당히 엄격하게 해석하고 있다. 즉, 비교역성 공공 가치를 위한 조치가 '필요한 것으로 인정받고 정당화되려면, 공공의 목적을 달성하기 위해 무역을 덜 제한하는 다른 어떤 대안도 상정할 수 없는 경우'로 한정하고 있다. 이런 기준에 부합하는 비교역성 공공 가치를 제시하기란 실제로 불가능에 가깝다. 그 결과 현실에서는 인권이 무역의 뒷전에 놓이기 쉽다.

〈다〉

2004년 조류 인플루엔자(H5N1)가 전 세계적으로 퍼지면서, 세계보건기구(WHO)는 '인구 대비 최소 20%'에 해당하는 분량의 치료제를 확보하도록 권고했다. 그런데 유력한 치료제인 타미플루의 특허권을 가진 다국적 제약회사 로슈가 공장을 완전히 가

동해도 WHO 권장량에 맞추려면 앞으로 10년이 걸려야 한다는 전망이 나왔다. 수요와 공급의 간극이 너무 커지자 선진국이 앞다퉈 타미플루 확보 경쟁에 나섰다. 로슈의 타미플루 연간 생산량이 4억 명의 인구가 복용할 수 있는 분량밖에 되지 않자, 타미플루는 최고 4~5배나 폭등한 가격에 팔리기도 했고, 남미 국가에서는 90달러까지 치솟기도 했다.

 2009년 당시 한국 정부가 확보할 수 있는 신종 플루 치료제는 500만 명분이었는데, 이 중 비축한 220만 명분은 유효 기한이 얼마 남지 않은 상태였다. 심각한 공급 부족에 직면한 것이었다. 그 시기에 신종 플루의 본격적인 대유행이 예상되자, 정부가 적극적으로 나서서 타미플루에 대한 '강제실시'를 발동해야 한다는 주장이 나온 것은 바로 공급 부족 때문이었다. 강제실시란 특허권자의 의사에 상관없이 특허를 받은 발명품을 타인이 사용, 즉 생산·판매할 수 있게 한 제도다. 물론 특허권자의 권리가 소멸되거나 정지되지도 않고, 특허권자에 대한 일정한 보상이 있다. 특허법은 공공의 이익을 위해 정부가 국가 긴급사태나 기타 극도의 위기 상황, 혹은 공공의 비영리적 사용을 위해 필요한 경우 강제실시를 허용하고 있다. 질병이 대유행하는 상황에서 높은 의약품 가격으로, 혹은 공급이 불충분해 제대로 치료받지 못할 우려가 클 때가 이에 해당하는 것으로 보아야 할 것이다.

 의약품은 원료가 되는 물질이 특허의 전부이기에, 특허권자가 생산과 판매의 전 과정에 걸쳐 독점을 할 수 있다. 그러나 복제도 쉽기 때문에 독점이 깨질 경우 가격이 독점 때와 비교할 수 없이 크게 떨어진다. 이런 이유로 제약회사는 강제실시 이야기만 나와도 경기를 일으킨다. 특허권을 가진 제약회사가 생산을 독점한 상황에서 약의 공급이 수요를 충족하지 못할 때, 제약회사는 구매할 능력이 있는 수요자만을 대상으로 약을 공급한다. 이로 인해 질병의 공격을 받아도 부유한 사람은 피해 가고 가난한 사람만 당하는 보건의료의 '부익부 빈익빈' 현상이 발생한다. 1987년 최초의 에이즈 치료제인 지도부딘(AZT) 개발 이후 수십 종의 에이즈 치료제가 개발돼 현재 선진국에서는 에이즈를 당뇨와 같은 만성 질환처럼 다스리고 있음에도, 매년 200만 명 안팎의 사망자가 발생하고 그들의 대다수가 아프리카에 사는 것은 다 이 때문이다.

2. 〈가〉의 논지를 활용하여 〈나〉 체제의 특징을 설명하고, 이에 근거하여 〈다〉의 상황이 초래된 요인을 분석하시오. (1,000±100자)

[대학 전형 변경으로 글자수 제한이 바뀜, 논술 연습용 답안지 제외]

12. 2021학년도 숙명여대 수시 논술 (3회차)

계열 문항 1

〈가〉

기억과 정체성의 관련성 문제는 1980년대 이후 매우 시의적 주제로 다루어져 왔다. 이것은 이 시기 세계 도처에서 정치적, 문화적 경계가 무너지고 다시 정립되던 것과 밀접한 연관이 있다. 가령 유럽에서는 동서의 경계선이 붕괴되면서 냉전의 기억들로 점철된 한 시대가 막을 내리게 된 것을 들 수 있다. 냉전의 종식과 함께 동구권에서는 민족적인 정체성들이 되살아났고, 그와 더불어 그들의 언어, 문화, 역사와 신화들이 함께 소생하였다. 당시 이러한 양상은 '역사의 귀환', '역사의 소생'과 같은 말로 표현되었다. 여기서 말하는 역사는 우리가 일반적으로 이해하고 있는 그런 역사가 아니다. 다시 말하면, 과거에 대해 전문 분야에서 다루는 학문적 연구의 의미가 아니라, 생생하게 보존되었거나 새로이 유발된 집단의식, 즉 '기억된 과거'를 말하는 것이다. 이런 모습으로 역사는 예기치 않게 일차적인 정치적 원동력이 되었다. 이 문제는 '나는 누구인가'라는 질문이고, 더 정확히 말하자면 '우리는 누구인가'를 묻는 것이다.

오늘날 자신의 본질을 규정한다는 것은 성적, 종족적, 정치적 문제에 따라 스스로의 위치를 정하는 것이다. 이런 의미에서 문예학자 테레사 테라우레티스는 정체성을 "자신의 역사를 능동적으로 구성하는 것이자, 그러한 자신의 역사를 담론적으로 중재한 정치적 해석"이라고 정의한다. 간략하게 말하자면, 우리가 공동으로 기억하고 망각하는 것을 통해 우리 자신을 정의한다는 뜻이다. 기억의 개조는 곧 정체성의 개조이기도 하다. 이러한 현상은 우리가 알고 있는 것처럼 공동체나 개개인에게도 마찬가지로 적용되며, 역사 교과서의 개정, 기념비의 파괴, 공공건물과 지명의 개칭 등에도 잘 반영되어 있다.

〈나〉

'사건'의 기억은 어떻게 해서든지 타자, 즉 사건의 외부에 있는 사람들과 함께 나누어 갖지 않으면 안 된다. 집단적 기억, 역사의 담론을 구성하는 것은 사건을 체험하지 않은 타자들이기 때문이다. 이 사람들에게 그 기억이 공유되지 않으면, 사건은 없었던 일로 되어 버리고 만다. 일어나지 않았던 일로 되어 버린다. 그 사건을 경험한 사람들의 존재는 타자의 기억 저편, 세계의 외부로 내던져지게 되어 역사로부터 망각된다.

역사학자 뷔달-나케는 '홀로코스트'라는 사건의 존재를 부정하는 유럽의 역사수정주의에 대한 비판자로 알려져 있다. 그는 사건의 존재 자체를 부정하고, 역사와 사람들의 기억에서 그 사건 자체를 지워버리려는 역사수정주의자들을 '기억의 암살자들'이라고 말한다. 타자의 존재를 지워버린 예로 영화 〈라이언 일병 구하기〉를 언급할 수 있다. 이 영화는 국민에게 희생을 강요하는 국가주의에 대항하며 휴머니즘을 체현하고 있는 미국의 국민주의를 칭송한다. 그러나 이것이 부조리하게 죽어간 수많은 사람들과 집단적인 기억에서 배제된 사건들을 부인하고 망각함으로써 비로소 가능하게 되었음을 잊어서는 안 된다. 거기에서 이야기되지 않은 사건 하나가 예컨대 베트남 전쟁이다. 영화는 마지막 부분에서 50년이라는 세월을 단번에 건너뛰며, 1970년대 미국 사회에 엄청난 트라우마를 남긴 그 사건이 마치 일어나지 않았다는 듯, 현재의 라이언의 모습을 비춘다. 마지막 장면에서 피에 젖어 나부끼는 성조기가 상징하는 것은 미국인을 위해 미국인이 흘린 피일 따름이다. 미국인으로 인해서 흘린 타자의 피, 타자의 죽음을 영화는 이야기하지 않는다. 미국인에 의해 살해당한 베트남 사람의 죽음이라는 사건은 여기에서는 완전히 망각되고 있다.

사건의 기억이, 사건의 기억에 매개되어 사건 자체가 타자에게 공유되어야만 한다면, 그것은 어떻게 해서든지 '이야기'되지 않으면 안 된다. 사건의 외부에 살고 있는 타자들에게로 이르는 길, 그 회로를 우리는 만들어내지 않으면 안 된다. 그런데 사건이 언어로 재현된다면, 반드시 재현된 현실 외부에 누락된 사건의 잉여가 있게 된다. 사건의 폭력을 현재형으로 하여 살아가고 있는 사람들은 그러한 이유로 그 사건에 대하여 이야기하는 말을 지닐 수 없는 것인지도 모른다. 그러나 그렇다 하더라도, 아니 바로 그러하기 때문에 말할 수 없는 사건은 말하여지지 않으면 안 된다. 사건의 기억을 타자와 공유하기 위해서.

사건을 체험하였고, 그 사건의 내부에 있었기 때문에, 그래서 사건의 폭력을 지금도 계속하여 겪고 있기 때문에 그 사건에 대하여 말할 수 없는 자들이 있다. 또, 학살 사건처럼 그 폭력을 온몸으로 체험한 자, 즉 죽은 자는 말이 없기 때문에 자신이 당한 폭력, 그 사건에 대하여 증언할 수 없다. 바로 그런 이유로 타자가 사건을 말해야만 하는 것은 아닐까. 타자가, 사건의 외부에 있었던 제삼자가 증언해야만 하는 것은 아닐까. 그렇다고 그것이 말할 수 없는 자들을 대신하여 그 사건을 제멋대로 표상하여도 좋다는 뜻은 결코 아니다. 말할 수 없는 사건에 대하여 말하는 것, 그것은 무엇보다도 사건의 말할 수 없음 자체를 증언하는 것이 되어야만 하지 않을까.

〈다〉

면장　이미 들으셨겠지만, 칠산리로 자동차 길을 냅니다. 산허리를 잘라내고 골짜기를 메워야 길이 나는데, 그 무덤 때문에 공사가 늦어지고 있습니다. 세상 많이 달라진 거죠. 칠산리라면 이름 그대로 산이 일곱, 험한 산 일곱이 사방을 둘러막아서…… 예전 난리 땐 빨갱이 소굴이었다고 냉대와 멸시 받던 곳인데…….

장남　우리 어머니 무덤은 그 자리에 그대로 두었으면 합니다.

면장　안 됩니다. 오늘 안으로 옮기세요. 그 무덤 때문에 길 늦어진다고 칠산리 주민들이 야단입니다.

자식들　우리는 아직 다 모이지 않았습니다. 우리로선 중대한 문젭니다. 어머니의 무덤을 옮긴다는 건. 자식들이 다 모여서 의논해 본 다음에 결정짓겠어요.

면장　내가 처음 면장이 되어 이곳에 부임해 왔을 때, 사무 인계를 하면서 전임 면

	장이 이런 말을 하더군요. 조심하게, 이곳 주민들은 과거의 사람일세. 난 그게 무슨 뜻인지 몰랐었죠. 그러나 차츰 시간이 지날수록, 이곳 사람들은 현재를 사는 것이 아니라 과거 난리 속을 살고 있다는 느낌이 들더군요. 솔직히, 난 그것이 싫습니다. 내가 산 사람들의 면장이 아닌, 유령들의 면장 노릇을 하고 있는 것 같아 기분이 나쁩니다.
장남	(우울한 표정이 되며) 사실은, 과거 속에 사는 사람들도 기분 좋을 리 없죠. 특히 우리들은요. 아무리 현재로 빠져나오려고 애를 써도…… 과거는 우리를 꽉 붙잡고 놓아주질 않는군요.
면장	그 반대인 것 같은데요? 오히려 당신들이 과거를 붙잡고 놓지를 않는 겁니다. 자, 지금이라도 놓아버리세요! 칠산리의 그 무덤 옮기는 것부터가 새로운 시작입니다!
장남	우린 아직 다 모이지 않았습니다. 면장님, 우리는 다 모여서 의논해 봐야 합니다.
면장	당신이 기다리는 그가 꼭 와야 할 이유가 뭡니까? 솔직히 말하자면, 그는 칠산리 무덤 옮기는 걸 반대하기 위해서 오는 것이죠?
장남	글쎄요…….
면장	누가 나에게 이 사진을 보여주며 말했습니다. "이 사람은 위험한 사상을 갖고 있다."
장남	누가 나에게도 같은 말을 했습니다. "너는 위험한 사상을 갖고 있다." 그런데 그게 사실입니까?
면장	사실이냐구 나에게 물으면 어떡합니까? 여러분 자신들이 대답할 문제죠!
장남	글쎄요……. 우리들 사상이 위험하다는 혐의를 받는 건…… 우리가 경험한 그 기억들 때문이겠지요. 우리가 고통을 당하는 건 세상이 잘못된 거지 우리 잘못은 아녜요. 그런데도 부당하게 고통과 박해를 받고 있어요! 면장님 입장이 어떻다는 건 우리도 잘 압니다. 칠산리에 길을 내야 하구, 그러려면 무덤을 옮겨야 하는데, 이 기회에 아예 다른 곳으로 옮겨 가기를 바라고 있는 것이죠. 그리고 그건 면장님 개인적인 의견이라기보다 칠산리 주민들 모두의 희망인데, 그것은 칠산리로부터 우리들 흔적을 깨끗하게 제거하겠다는 뜻이 담겨 있습니다.

1. '기억'의 문제에 대한 〈가〉와 〈나〉의 논지를 비교하여 서술하고, 이를 바탕으로 〈다〉의 상황을 논하시오. (1,000±100자)

[대학 전형 변경으로 글자수 제한이 바뀜, 논술 연습용 답안지 제외]

〈가〉

  같은 단어를 같은 검색창에 검색해도 다른 결과가 나온다. 새로운 세대의 인터넷 필터가 당신이 좋아하는 것을 살펴본다. 당신이 실제로 무슨 일을 했는지, 당신과 같은 사람이 무엇을 좋아하는지 살펴보고 추론한다. '예측 엔진'들은 끊임없이 당신이 누구인지, 이제 무엇을 하려고 하고 또 할 것인지에 대한 고유한 정보의 바다를 만든다. 사용자들이 모르는 사이 컴퓨터 알고리즘에 의해 특정 내용은 걸러지고, 사용자가 선호할 만한 내용만이 먼저 표시된다. 어느 기업은 당신이 어떤 기사를 주로 읽는지, 지금 기분이 어떤지를 알고 긍정적인 면에서 당신의 기호에 맞춘 광고를 띄워줄 수도 있다. 필터링 서비스를 받는 대가로 당신은 엄청난 분량의 일상생활 데이터를 기업에게 넘기는 셈이 된다. 기업들은 데이터를 이것저것에 써보면서 매일 매일 더 정확한 정보를 만들고 있다.

  물론 우리는 어느 정도 입맛에 맞는 매체만 즐겨 찾았고, 나머지는 도외시해왔다. 개별화된 필터가 이렇게 강력한 유혹인 데에는 충분한 이유가 있다. 우리는 정보의 홍수에 휩쓸리고 있다. 매일 90만 개의 블로그가 만들어지고, 5천만 개의 트위터 글이 올라오고, 6천만 개의 페이스북 계정이 업데이트되며, 2,100억 개의 이메일이 오고간다. 구글 CEO 에릭 슈미트는 "역사가 시작된 이래 2003년까지 인류의 의사 전달 내용을 모두 기록한다면 50억 기가바이트 정도 된다. 지금 우리는 단 이틀 만에 그 만큼의 데이터를 만들어내고 있다."라고 말한다. 이러한 현실은 미디어 전문가인 스티브 루벨이 '주의력 붕괴'라고 부르는 현상을 불가피하게 불러온다. 거리가 멀고 사람이 아무리 많더라도 통신하는 데 드는 비용이 이전보다 엄청나게 저렴하기 때문에, 우리는 너무도 많은 정보에 노출될 수밖에 없다. 하지만 이 모든 정보를 다 챙길 수는 없다. 우리는 문자 메시지를 보다가 이메일로 동영상으로 옮겨 다닌다. 온종일 밀물처럼 밀려드는 정보를 중요한 것과 그렇지 않은 것으로 분류하기에 바쁜 것이다. 이때 개별화 필터가 도와주겠다고 손을 내밀면 쉽게 넘어갈 수밖에 없다. 개별화 필터는 우리가 알고 싶어 하고 듣고 싶어 하는 정보를 찾는 데 도움이 될 수 있다. 또 이 과정을 거쳐 선별되어 제공되는 온갖 선명한 사진이나 생생한 동영상은 개인들에게 또렷하게 인지되기 십상이다.

〈나〉

  "그는 매일 담배를 세 갑씩이나 피웠는데도 나이가 백 살이 넘었다. 그러니까 담배를 피우는 것은 해가 될 수 없다.", "함부르크는 안전한 도시다. 나는 블랑케제네(독일 함부르크의 한 지역)에 사는 어떤 사람을 아는데, 그는 평상시에는 물론이고, 휴가를 떠날 때조차 대문을 열어놓고 다닌다. 그런데도 지금까지 한 번도 도둑이 든 적이 없다."라고 말하며, 담배가 수명과 상관이 없다거나 함부르크가 안전하다는 것을 증명하려고 하는 사람들이 있다. 그러나 그들이 증명할 수 있는 것은 아무것도 없다. 독일어 단어들 가운데 R로 시작하는 단어가 더 많을까, 아니면 R로 끝나는 단어가 더 많을까? 정답은 'R로 끝나는 단어가 두 배는 더 많다.'이다. 그런데 대다수 사람들은 R로 시작하는 단어가 더 많다고 대답한다. 그 이유는 R로 시작하는 단어가 더 빨리 떠오르기 때문이다.

 가용성 편향(availability bias)은 자신의 경험 혹은 자주 들어서 익숙하고 쉽게 떠올릴 수 있는 것들을 가지고 세계에 대한 이미지를 만드는 것이다. 그러나 이것은 어리석은 일이다. 왜냐하면 자신의 머릿속에 더 잘 떠오른다고 해서 현실에서도 보편적인 일이 되는 것은 아니기 때문이다. 가용성 편향 때문에 우리는 그릇된 카드를 머릿속에 삽입한 채 세상을 돌아다닌다. 비행기 추락, 자동차 사고, 살인과 같은 죽음의 위험을 시스템적으로 과대평가하고, 당뇨병이나 위암같이 덜 주목받는 죽음의 위험은 과소평가한다. 그러나 비행기 추락이나 폭탄 테러에 의한 죽음은 우리가 생각하는 것보다 훨씬 드물게 일어난다. 반대로 암으로 인한 죽음은 훨씬 많이 발생한다. 하지만 사람들은 구경거리가 되고 현란하거나 떠들썩한 모든 것에 대해서는 너무 높은 개연성을 부여하고, 조용하고 눈에 보이지 않는 것들에 대해서는 너무 낮은 개연성을 부여한다. 구경거리가 되고 현란하거나 떠들썩한 것이 뇌리에서 더 효과적으로 작용하기 때문이다. 다시 말해, 우리 뇌는 양적으로 생각하지 않고 극적으로 생각한다.

 특히 기업체의 이사회 사무실 안락의자에는 가용성 편향이라는 벌레가 깊숙이 파고들어와 자리 잡고 있다. 그곳에 모인 이사들은 4분기 실적표나 프로젝트 성과분석표 등 경영진이 제시한 숫자들을 보며 토론한다. 경영진에서 보여주지는 않지만 더 중요한 것들, 이를테면 경쟁자들의 강점이나 근로자들의 근무 동기 약화 또는 고객들의 태도 변화 등은 이야기하지 않는다. 그리고 지금까지 내가 관찰한 바에 따르면 사람들은 간단하게 입수할 수 있는 데이터나 처방들을 의사 결정의 가장 중요한 근거로 이용한다. 그래서 종종 치명적인 결과를 초래한다.

〈다〉

 로마교황청은 성인(聖人)을 승인하는 시성식(諡聖式)에 앞서 찬반 토론을 벌이도록 했는데, 찬성하는 쪽은 '신의 지지자', 반대하는 쪽은 '악마의 변호인'이라 했다. 악마의 변호인은 교황청이 부여한 역할이기에 자신의 진심과는 무관하게 반대 의견을 제출해야만 하는데, 그 임무의 성격상 '신앙의 촉진자'로 불리기도 했다.

 초창기 1,000여 년간 교회의 성인 추대는 다소 무계획적으로 이루어졌으며 지역별로 분권화되어 있었다. 지역교회에서 대중적 정서를 기반으로 성인 추대가 가능했는데, 순교자, 신앙에 헌신한 인물, 그리고 특별히 독실한 삶을 살아왔다고 인정받는 인물에게도 성인의 직위를 내렸다. 그 결과 각 지역마다 성인의 수가 넘쳐나는 현상이 발생했다. 그런데 성인 후보 측에서 제출한 내용은 대부분 천편일률적이었다. 이에 다수 교회 관료들은 독립적인 조사관으로 활동하는 '악마의 변호인'이라는 직책을 만들어 성인 추대에 반대 의견을 밝힐 사람을 지명했다. 악마의 변호인 역할은 성인으로 추대될 후보자들의 덕행과 그들이 기적을 행했다는 평가에 대해 반대 의견을 제시하는 것이었다. 다시 말해, 기적을 행했다는 기록에 대해 악마의 변호인은 사기나 우연 혹은 과학으로 설명이 가능함을 설파하여 반대자 역할을 수행했다. 추대를 위해 제출된 모든 근거에 대해 세부항목별로 반대 의견을 제시하고, 후보자에게 불리한 근거들을 서면으로 자세히 작성하는 것이었다. 악마의 변호인은 수십 년간 계속되기도 하는 시성 절차 기간 동안 반대 의견과 입증 자료를 작성하여 교황청에 제출하는데, 성인 추대가 최종 결정되기 전 마지막 단계에서 교황에게 보고되었다. 이런 절차를 통해 추대된 성인들은 그 이전에 추대된 성인들에 비해 실제 숫자는 적어졌지만, 더 권위를 가진 성인으로 인정받았다.

2. 〈가〉의 상황이 〈나〉에 미치는 영향에 대해 기술하고, 〈다〉를 활용하여 〈가〉와 〈나〉가 야기하는 문제점을 개선할 방안에 대해 논하시오. (1,000±100자)

[대학 전형 변경으로 글자수 제한이 바뀜, 논술 연습용 답안지 제외]

13. 2021학년도 숙명여대 모의 논술

계열 문항 1

<가>

산업 차원에서 디지털 기술은 일자리 창출에는 상대적으로 작은 역할만을 했을 뿐이다. 수만 명이 구글, 페이스북, 아마존 같은 회사에서 일하고 있다 해도 그 숫자는 아날로그 산업, 이를테면 포드 자동차 같은 회사의 고용자 수에 비하면 새 발의 피다. 테크놀로지 회사의 높은 노동 생산성은 비즈니스 모델의 특성이다. 이들 회사는 기숙사 방에서 한 명이 시작했다가 급속히 성장하여 수백만, 수십억의 고객을 모을 수도 있다. 그에 맞게 공장, 창고, 매장 등의 인프라를 갖추거나 월급과 복지 혜택을 제공해야 하는 직원을 두지 않고서도 말이다.

컴퓨터는 상대적으로 적은 수의 사람들만으로도 일을 가능하게 한다. 데이터 센터 건설에는 수만 제곱미터의 부지와 수십억 달러의 자본이 들어가지만 필요한 직원은 몇 명뿐이다. 인스타그램 같은 회사가 북컬처와 거의 같은 숫자의 직원만으로도 단 몇 년 만에 세계적인 사진 기업이 되고, 페이스북에 인수된 시점에는 10억 달러의 기업 가치를 갖는 식이다. 미국 테크놀로지 회사 중에 유일하게 미국 내의 직원 수가 상위 20위에 드는 곳은 휴렛팩커드이다. 그러나 이 회사의 직원 수도 지난 몇 년 간 대폭 축소되었다.

"모든 사람, 아니 대부분의 사람들이 기술 진보의 혜택을 자동적으로 누린다는 경제 법칙은 없다." 경제학자 에릭 브린욜프슨과 앤드루 매카피는 2012년 발간한 『기계와의 경쟁』이라는 획기적인 책에서 기술 진보와 일자리 창출 간에 격차가 벌어지고 있음을 강조했다. "기술 발전이 가져온 실업 위협은 현실이다." 이들은 기술 진보를 두려워하는 기술 혐오주의자가 아니다. 그들은 이전 산업화, 공업화 시대의 기술 도약기에 벌어졌던 노동의 파괴를 지적하면서 생산성 증가가 중산층의 부와 일자리 창출로 이어졌는지 밝힌다. 지금이 그때와 다른 점은 디지털 혁명의 속도와 규모가 기하급수적으로 가속화되고 있다는 것이다.

디지털 경제가 일자리 창출에 실패하는 가장 중요한 이유는 인간의 노동력을 최소화하는 것이 기본 목표이기 때문이다. "똑똑한 기계들의 가격이 내려가고, 성능도 좋아지기 때문에 점차 인간의 노동, 특히 공장과 같이 상대적으로 구조화된 환경에서 가장 반복적이고 틀에 박힌 일들을 대체할 것이다." 브린 욜프슨, 매카피, 기자 마이클 스펜스는 『포린 어페어(foreign affairs)』지에서 이렇게 밝혔다.

<나>

4차 산업혁명 시대에는 일자리가 만들어지지 않을 것이라는 주장이 강하게 대두되고 있다. 1, 2차 혁명에서는 제조업과 서비스업이 농업의 일자리를 대체했고, 3차 혁명에서는 플랫폼 서비스가 일자리를 만들었으나, 로봇과 인공지능이 이끄는 4차 산업혁명에서 만들어질 일자리는 보이지 않는다고 말이다.

이러한 위기감은 일자리에 대한 '닫힌계의 사고관(노동 총량 불변의 법칙, 기계론적 사고관)'에 기인한다. 결론부터 말하자면, 인간의 욕망이 확대되는 한 일자리는 줄지 않는다. 일자리의 원천은 공급(기술)과 수요(인간의 욕망)라는 양면의 균형에 있다. 4차 산업혁명에서 일자리 소멸을 우려하는 이유는 공급 측면에서 일자리를 이해하려는 기존의 고정관념 때문이다. 경제는 공급과 소비의 두 축으로 구성된다. 일자리 총량 불변의 법칙은 인간 욕구가 유한하다는 가정에서만 유효하다. 인간의 미충족 소비 욕구가 있으면 새로운 일자리가 만들어질 수 있다. '열린계의 사고관'으로 일자리를 보아야 하는 이유이다.

이제 4차 산업혁명은 자기표현과 자아실현이라는 '나'의 욕구를 충족시키는 인문혁명으로 돌입하고 있다. 즉, 4차 산업혁명의 새로운 일자리는 주로 자기표현을 위한 개인화된 소비에서 창출될 것이다. 소비가 정체성을 결정하는 '경험 경제'가 도래하고 있는 셈이다. 개인화된 맞춤 서비스가 일자리의 원천이 된다는 것이다. 지금 여성들의 개인별 맞춤 코디 욕구는 고비용의 한계로 제한되고 있으나, 미래에는 인공지능과 인간의 융합지능을 통해 저비용으로 서비스될 것이다.

개인별 맞춤 미디어도 마찬가지다. 숱한 저가의 개인별 맞춤 서비스가 잠재된 인간의 자기표현 욕구를 충족시키게 될 것이다. 새로운 기술이 등장해 생산성이 올라가면 기존의 노동 총량은 감소해 노동 시간 감소와 일자리 감소의 조합이라는 결과를 초래한다. 그 결과로 발생하는 잉여 인력과 잉여 시간이 새로운 일자리의 공급과 수요를 창출할 것이다. 일자리의 본질적 의미는 가치 창출과 가치 분배의 연결고리이며, 여기에서 전제 조건은 수요를 뒷받침할 분배 구조와 공급을 뒷받침할 교육 구조이다.

그렇다면 4차 산업혁명의 일자리는 어떤 형태로 구성될 것인가 생각해 보자. 흔히들 유망하다고 예상하는 데이터 분석가, 인공지능 개발자들은 미래 일자리의 10% 미만이 될 것으로 예상된다. 이유는 단순하다. 그들 한 명이 등장하면 기존 일자리 10개는 사라져야 하기 때문이다. 즉 생산성 증가 일자리는 일자리를 만드는 것이 아니라 없애는 역할을 하는 것이다.

그러나 생산성 증가 일자리로 발생한 잉여 인력과 잉여 시간은 새로운 일자리를 만들어 낼 것이다. 그 새로운 일자리는 4차 산업혁명 기술을 바탕으로 개인화된 서비스를 제공하는 직업에서 우선 창출될 것이다. 핏빗(Fitbit)의 건강관리 서비스, 에어비앤비(Airbnb)의 운영자들이 대표적인 예이다. 이들은 로봇 및 인공지능과 협력한 융합지능을 통해 개개인의 맞춤 서비스를 제공하는 직업군이다. 오픈소스 제조업을 주창하는 '메이커 운동'과 '아프리카 TV' 등 MCN(Multi-Channel Network)은 새로운 개인적 욕망 충족을 위한 전초의 사례들이다.

<다>

맥스 테그마크 MIT 교수는 그의 책 『라이프 3.0』에서 AI의 위협을 이렇게 설명한다. "산업혁명 시기에 우리는 인간의 근육을 어떻게 기계로 대체할 것인지 궁리하기 시작했고, 사람들은 근육보다 정신을 더 써서 돈을 더 많이 받는 일자리로 옮겨갔다. 블루칼라 일자리는 화이트칼라 일자리로 대체됐다. 이제 우리는 우리의 두뇌를 어떻게 하면 기계로 대신할 수 있을지 궁리해내고 있다."

산업연구원에 따르면 고용계수(10억 원의 부가가치를 산출하는 데 필요한 고용자의 수)의 하락 속도도 제조업에서 심하게 나타난다. 2005년 13.46이던 전체 산업 고용계수는 2017년 4.22로 하락했다. 하지만 기계화가 집중적으로 이뤄진 제조업에서는 같은 기간 9.77에서 1.88로 떨어졌다. 전 산업 중 74%의 고용을 담당하는 서비스업에서도 18.63에서 6.68로 낮아졌다. 기계화, 자동화로 인한 '고용 없는 성장'을 단적으로 보여주는 수치다.

물론 새로 등장하는 직업도 있다. 최근 한국고용정보원이 펴낸 한국직업사전에 따르면 지난해 우리나라의 직업 종류는 1만 6891개다. 이 가운데 2012년 이후 8년 동안 새로 생겨난 직업이 5200여 개에 달한다. 유튜버와 같은 미디어콘텐츠 창작자, 드론 조종사, 블록체인 개발자, AI 엔지니어 등 4차 산업혁명에 따른 신생 직업도 270개나 된다.

하지만 이 같은 신생 직업이 사라지는 직업을 대체할 만큼 충분한 고용 창출 효과를 가져올지는 의문이다. 한국의 표준 직업 분류는 대분류부터 세세분류까지 5단계로 직업을 구분한다. 이 중 통계청이 공개하는 직업별 취업자 수는 소분류까지다. 소분류로 나눈 직업을 취업자 수로 나열했을 때 20위까지는 매장 판매 종사자, 작물 재배 종사자, 조리사 등 전통적인 직업이 포진해 있다. 21번째 가서야 '컴퓨터 시스템 및 소프트웨어 전문가'가 등장한다. 이 분야에서 일하는 사람은 총 32만 5400명으로 전체 취업자 수(2703만 8400명)의 1%에 지나지 않는다.

이후 간호사, 비서 등 전통적인 직업이 이어지다 다시 35번째에 통신 관련 판매직이 나타난다. 온라인쇼핑 판매원, 단말기 판매원 등이 포함된 이 직업군에는 21만 5000명, 전체 취업자 수의 0.8%가 있다. 이런 식으로 과학기술이 발전하면서 등장한 소분류 직업군 취업자 수를 다 더해 봐도 107만 3200명, 전체의 4%를 넘지 않는다.

일자리의 질의 문제도 걱정해야 할 부분이다. 미래 일자리 연구들은 대체로 고용 감소가 '중간 일자리'에서 벌어질 것으로 내다본다. 경제협력개발기구(OECD)의 『고용전망 2019』를 보면 2006년 이후 10년 간 중숙련도 일자리 비율(각종 사무직, 기계조작원 등)이 줄어든 국가는 30개 조사국 가운데 29개국에 달했다. 고숙련도와 저숙련도의 일자리는 국가별 상황에 따라 증감이 달랐다. 중숙련도 일자리가 가장 크게 줄어든 국가는 그리스(-12.7% 포인트)였으며, 오스트리아(-9.2% 포인트), 덴마크(-8.4% 포인트) 등도 감소율이 높았다. 우리나라도 중숙련 일자리가 6.1% 포인트 감소하며, OECD 평균(-5.3% 포인트)보다 높았다. 고학력자가 고소득을 누리는 고숙련 일자리와 저학력자가 낮은 임금을 받는 저숙련 일자리로 양극화하고 있다는 뜻이다.

1. <가>와 <나>의 공통점과 차이점을 서술하고, <다>를 바탕으로 <가>와 <나>를 평가하시오. (1000±100자, 55점)

[대학 전형 변경으로 글자수 제한이 바뀜, 논술 연습용 답안지 제외]

<가>

"저기 검둥이 좀 봐!" 지나가는 나를 건드렸던 것은 외적 자극이었다. 나는 무서운 미소를 지어 보였다. "저기 검둥이 좀 봐!" 그렇다. 이 말은 사실 틀린 말은 아니다. 이것이 내 장난기를 발동시켰다. "저기 검둥이 좀 봐!" 그 작자들이 점점 더 가까이 왔다. 나는 더 이상 그 비밀스런 장난기를 숨길 수가 없었다.

"엄마, 저기 검둥이 좀 보세요! 무서워요!" 무섭다니! 무섭다니! 그들은 정말 나를 무서워하기 시작했다. 나는 눈물이 날 때까지 웃고 싶었다. 물론 그렇게 하진 못했지만.

나는 더 이상 웃을 수가 없었다. 왜냐하면 검둥이라는 호칭 속에는 내가 야스퍼스에게서 주워들은 전설과 이야기와 역사와, 그리고 그 무엇보다도 역사성이라는 것이 함축되어 있었기 때문이었다. 인종차별을 정당화하는 피부라는 도식이 크게 다가왔다. 기차 안에서의 그 경험은 더 이상 3인칭인 내 육체에 대한 인식의 기회가 아니었다. 세 겹으로 구성된 내 육체에 대한 깨달음의 기회였다. 기차 안의 나는 하나의 공간 속에 있는 존재가 아니었다. 여러 차원의 공간 속에 있는 존재였던 것이다. 장난기가 그만 가서 버리고 말았다. 그건 내가 세 겹으로 존재하고 있었다는 사실에 대한 공포 바로 그것 때문이었다. 구토가 날 것만 같았다……. 당시 나는 내 하나의 몸뿐만 아니라 내 동족, 그리고 내 조상들에 대한 책임도 지고 있었다. 그곳에 나의 종족적 특성인 흑인성이라는 것이 있었다. 북아프리카, 식인 행위, 지적 결핍, 우상 숭배, 인종적 결함, 노예선 등등의 말이 나를 늘씬 두들겨 패고있는 것이었다.

<나>

혐오의 '원초적 대상'은 인간의 동물성과 유한성을 일깨워주는 존재들이다. 배설물과 체액, 시체가 여기에 포함된다. 끈적거린다든가 냄새가 나고 진액이 흘러나오는 등, 체액이나 시체를 연상시키는 동물과 곤충들도 혐오의 원초적 대상이 된다. 심리학자 로진은 모든 혐오의 근저에 다름 아닌 인간 자신의 오물과 악취에 대한 혐오가 깔려 있다는 결론을 내린다. 인간이 가진 모든 동물성이 혐오의 대상이 되지 않는다는 점에 주목하자. 예를 들어 힘이나 민첩성 등은 혐오스럽지 않다. 사람들이 혐오하는 것은 죽음 및 부패와 관련된 동물성이다. 이러한 '원초적 대상'에 대한 혐오감과 실질적 위험이 언제나 연관되어 있는 것은 아니다. 그렇기는 하지만 원초적 대상에 대한 혐오는 세상을 체험할 때 유용한 도구가 될 수 있다. 대상을 자세히 조사해볼 시간이 없을 때, 혐오는 우리가 쉽게 위험을 피할 수 있도록 도와준다.

그런데 원초적 대상에 대한 혐오는 이후 이성적인 검토를 거의 거치지 않고 한 대상에서 다른 대상으로 확장된다. 이렇게 확장된 혐오를 '투사적 혐오'라고 부른다. 로진은 투사적 혐오가 작용하는 원칙을 "공감적 주술의 법칙"이라고 불렀다. 그와 같은 미신적인 개념은 만일 A가 혐오스러운 대상인데 B가 A와 비슷하게 생겼다면 B 역시 혐오스럽다는 것이다. 또 다른 미신적 개념은 오염의 개념이다. 한번 다른 물체와 접촉했던 물체는 계속해서 서로에게 영향을 미치는 것으로 간주된다. 사람들은 소독된 파리채로 저은 수프를 먹지 않으며, 전염병에 걸린 사람이 입었던 옷은 잘 세탁된 경우에도 거부된다.

사회는 구성원들 중 몇몇을 이른바 '오염원'으로 규정하도록 가르친다. 다시 말해, 투사적 혐오는 사회적 기준에 의해 형성된다. 최소한 몇몇 사람들을 혐오스러운 존재로 간주하는 건 모든 사회의 공통점인 것처럼 보인다. 아마도 이러한 전략은 지배집단과 그들이 두려워하는 그들 자신의 동물성 사이에 안전한 저지선을 설치할 목적으로 채택되었을 가능성이 높다. 진짜 위험과 신뢰할 만한 연관 관계가 거의 없는 이 투사적 혐오는 망상을 먹고 자라며 예속을 만들어 낸다. 혐오가 자신을 순수한 것으로, 타자를 더러운 것으로 표상하려는 뿌리 깊은 인간적 필요에 봉사하는 것은 사실이지만, 이 필요가 사회를 공정하게 만드는지는 대단히 의심스럽다. 오히려 이러한 전략은 사회의 공정성을 해친다.

역겨운 속성을 특정 집단이나 개인에게 전가하는 투사적 혐오는 여러 형태를 취하는데, 이른바 혐오스러운 집단이나 사람을 어떻게든 혐오의 원초적 대상과 연관시킨다는 점만은 같다. 어떤 경우에는 해당 집단이 원초적 대상과 실질적으로 가깝게 관련되어 있다는 점이 강조된다. 혐오가 확장되는 보다 많은 경우에 있어서 망상이 개입한다. 이는 악취와 진액, 부패, 세균이 많음 등 원초적 대상에서 역겹다고 느껴지는 속성을 특정한 사람이나 집단에 전가하는 방식이다. 전형적인 경우 이러한 투사에는 아무런 실제적 근거도 없다.

<다>

미움 받는 존재는 모호하다. 정확한 것은 온전히 미워하기가 쉽지 않다. 정확성은 섬세함을 요구한다. 엄밀하게 바라보고 귀 기울여야 하며, 서로 모순적인 다양한 특성과 성향을 지닌 각각의 개인을 개별적인 인간 존재로 인정하는 세밀한 구별을 전제하기 때문이다. 그러나 일단 윤곽들이 지워져 개인이 개인으로서 구별되지 않게 되면, 모호한 집합체들만이 증오의 수신자로 남아 자의적인 비방과 폄하를, 비난의 함성과 폭발하는 분노를 받아낸다. 유대인'들', 여자'들', 불신자'들', 흑인'들', 레즈비언'들', 난민'들', 무슬림'들' 혹은 미국, 중국, 정치가'들', 서구인'들', 경찰'들', 언론'들', 지식인'들'이 그렇다.

증오는 위 또는 아래로, 어쨌든 수직의 시선 축을 따라 움직이며 '높은 자리에 있는 자들'이나 '저 아랫것들'을 향한다. 그들은 언제나 '자기 것'을 억압하거나 위협하는 '타자'라는 범주다. '타자'는 위험한 힘을 지녔거나 열등한 존재라고 근거 없이 추정되고, 따라서 그들을 학대하거나 제거하는 행위는 단순히 용서할 수도 있는 일이 아니라 반드시 수행해야 하는 조치로 추켜올려진다. 타자는 비난하거나 무시해도, 심지어 해치거나 살해해도 처벌받지 않는다.

이런 증오를 몸소 경험한 사람, 거리에서나 인터넷상에서나 밤에나 대낮에나 혐오와 증오에 노출된 사람, 그런 인식들을 견뎌내야 하는 사람, 멸시와 학대의 역사를 오롯

이 제 몸에 품고 있는 사람, 죽어버리라거나 성폭행을 당하라는 저주의 욕설을 들은, 심지어 살해하겠다거나 성폭행하겠다는 위협의 메시지를 받은 사람, 권리를 부분적으로밖에 누리지 못하는 사람, 의복이나 히잡 때문에 멸시당하는 사람, 남에게 공격당할까봐 두려워 변장을 해야만 하는 사람, 집 앞에 폭력배들이 버티고 있어 집 밖으로 잘 나가지도 못하는 사람, 경찰의 보호를 받아야만 학교나 예배당에 다닐 수 있는 사람, 본인이 직접 그 대상이 된 이 모든 사람들은 결코 혐오와 증오에 익숙해질 수 없을 뿐 아니라 익숙해지기를 거부한다.

혐오와 증오는 개인적인 것도 우발적인 것도 아니다. 단순히 실수로 또는 궁지에 몰려서 자기도 모르게 분출하는 막연한 감정이 아니다. 그것은 이데올로기에 따라 집단적으로 형성된 감정이다. 이것이 분출되려면 미리 정해진 양식이 필요하다. 모욕적인 언어 표현, 사고와 분류에 사용되는 연상과 이미지들, 범주를 나누고 평가하는 인식틀이 미리 만들어져 있어야 한다. 혐오와 증오는 느닷없이 폭발하는 것이 아니라 훈련되고 양성된다. 그것을 자발적이거나 개인적인 것으로 해석하는 모든 사람은 자기도 모르게 그 감정들이 계속 양성되는 일에 기여하는 셈이다.

2. <나>와 <다>의 핵심 논지를 비교하여 서술하고, 이를 바탕으로 <가>의 상황을 설명하시오. (1,000±100자, 45점)

[대학 전형 변경으로 글자수 제한이 바뀜, 논술 연습용 답안지 제외]

VI. 예시 답안

1. 2024학년도 숙명여대 수시 논술 (1회차)

1-1. <나>의 밑줄 친 '핵심 개념'을 활용하여 <가>의 판결의 <관련 근거>에 대해 설명하시오. (300±30자)

1-2. <표1>과 <표2>에 나타난 플랫폼 노동자의 상황을 설명하고, 이러한 현상의 문제점과 해결방향을 <가>~<다>를 통해 설명하시오. (600±60자)

2-1. <가>에 나타난 '현'의 토끼 사육 결심과 포기를 <나>를 활용하여 설명하시오. (300±30자)

2-2. <다>에 제시된 '동물복지론'과 '동물권리론'을 대비하고, 두 이론을 각각 활용하여 <가>에서 '현'의 토끼 사육 행위를 평가하시오. (600±60자)

1-1.

　<나>는 근로기준법 등 현행법상 노동자 규정의 핵심개념은 '종속노동'이며, 사용자와 노동자는 '사용종속관계'에 있어야 한다는 점, 그리고 종속노동의 속성으로 인적 종속과 경제적 종속이 있다는 점을 설명하고 있다. 이에 따라 <가> 판결의 <관련 근거>를 살펴보면, 관련근거 ①은 배달원에 대한 사용자의 관리와 통제를 말하기에 인적 종속 여부, ②는 배달원의 업무시간과 장소에 대한 것이기에 인적 종속 여부, ③은 건당 수수료를 취하고 있다는 경제적 종속 여부, ④는 근로계약 여부에 관한 것으로 경제적 종속 여부에 각각 해당한다.

1-2.

　<표1>은 플랫폼 노동자 중 배달·배송·운송업이 차지하는 비중이 월등히 높아 노동자가 그 수입에 생계를 의존하고 있음을 알 수 있다. <표2>는 플랫폼 노동 참여 정도에 따른 고용 및 산재보험 가입 비율을 보여주는데, 주업과 부업 모두 가입률이 낮으며, 주업으로 일하는 종사자의 미가입률이 가장 높다. 이를 통해 플랫폼 노동자의 고용 불안정과 그에 따른 사회적 보호의 부족을 알 수 있다.

　이러한 현상은 플랫폼 기업의 경쟁 과정에서 나타나는 것으로, 플랫폼 노동자는 사회보장제도의 보호를 받지 못하고, 위험에 노출되기 쉬우며, 기업이 소비자에게 혜택을 제공하는 과정에서 노동자의 몫이 축소될 가능성도 높다. 또한 <가>는 현행법이 근로자 규정을 협소하게 적용하여 플랫폼 노동자를 프리랜서로 판결하고 있지만, <나>의 종속노동 개념에 따르면 그것은 산업혁명이라는 역사적 맥락에서 형성된 것이기에 그것을 현재의 플랫폼 자본주의에 적용하는 데에는 한계가 존재한다고 주장한다.

　따라서 해결방향으로는 노동자 규정의 법적 재검토를 통해 플랫폼 노동자의 권익과 사회보장을 강화해야 할 것이다. 또한 기업은 플랫폼 노동자의 사회보험 가입을 의무화하고, 적정한 임금 수준을 유지하고 위험 비용을 부담하는 등의 노력을 해야 할 것이다.

2-1

　<가>에서 '현'이 토끼 사육을 결심한 것은 긍정적인 경제적 유인이 작용한 결과이다. 퇴직금이 작은 한정된 상황에서 퇴직금을 토끼 사육에 투자하기로 결정한 것은 토끼의 번식 능력이 연 500%에 가까운 편익(투자 수익)을 가져올 것이라는 아내가 직접 목격한 정보를 근거로 내린 합리적인 결정이기 때문이다. 반면 '현'이 토끼 사육을 포기한 것은 부정적인 경제적 유인의 작용 결과로 해석할 수 있다. 토끼 사육을 지속할 경우, 토끼 개체 수 증가 및 먹이가 되는 비지와 사료의 공급 부족, 그로 인한 사육 비용의 급등으로 인해 투자 수익의 감소가 예상된다는 판단에서 이루어진 결정이기 때문이다.

2-2.

　<다>의 '동물 복지론'과 '동물권리론'은 동물이 고통을 느끼는 존재이고, 인간과 동등한 도덕적 지위를 가지며, 인간과 동물의 근본적 차이를 부정한다는 점에서 공통점을 지닌다. 그러나 동물의 도덕적 지위의 근거를 전자가 쾌고 감수성에서 찾는 데 반해 후자는 삶의 주체로서 동물의 내재적 가치에서 찾는다는 점, 인간의 목적을 위한 동물의 이용 가능성에 대해 전자는 인정하지만, 후자는 인정하지 않는다는 점 등에서 차이점을 보여준다.

　<가>는 생계를 위해 토끼 사육을 시작했지만 먹이 문제로 사육을 포기하고 토끼를 도살하고자 하지만 단념하는 '현'의 행동이 서술되고 있다. '현'의 이런 행동은 동물복지론의 입장에서 긍정적으로 평가할 수 있다. 토끼에게 안락한 환경 및 먹이를 충분히 제공했다는 점, 개체 수 증가하자 토끼장을 넓히고, 직접 토끼풀을 구하고자 노력한 '현'의 행동은 토끼의 행복을 증가하고 고통의 감소를 초래할 가능성이 크기 때문이다.

　한편, 동물권리론의 입장에서 '현'의 행동은 부정적으로 평가할 수 있다. '현'의 토끼 사육 행위 자체가 생계 목적을 위해 토끼를 수단으로 이용했다는 점에서 토끼의 내재적 가치를 부정하고 있기 때문이다. 다만, 아내 뱃속의 '태아'를 떠올려 토끼 도살을 단념한 것은 생명의 내재적 가치를 중시한 행위라는 점에서 긍정적으로 평가할 수도 있다.

2. 2024학년도 숙명여대 수시 논술 (2회차)

1-1. <가>의 '슈터 편견'을 설명하고, <나>를 활용해 이 현상을 기술하시오. (300±30자)

1-2. <표1>, <표2>의 내용을 분석하고, 그 결과를 <가>와 <다>를 토대로 해석하시오. (600±60자)

2-1. <가>와 <나>에 나타난 불쾌감의 공통점을 쓰고, 그 극복 방식의 변별점에 대해 기술하시오. (300±30자)

2-2. <다>에 나타난 '나'의 행위 및 심리적 변화를 <나>의 불쾌한 골짜기 이론으로 설명하시오. (600±60자)

1-1.

　<가>의 슈터 편견은 모의 사격 실험에서 참가자들이 표적에 대한 사격 여부를 결정하는 데 표적의 인종에 따라 영향을 받는 현상이다. 백인과 흑인 참가자 모두 슈터 편견을 드러

냈고, 흑인에 대한 개인적 편견보다는 흑인은 폭력적 존재라는 문화적 고정관념이 강한 참가자에게서 슈터 편견이 더 두드러졌다. <나>에 따르면, 슈터 편견은 규칙 기반의 인지적 정보처리를 의미하는 숙고적 양식이 아니라 빠르게 정보를 처리하는 직관적 양식의 작용에 의한 결과로 볼 수 있다. 모호한 상황에서 위험한 표적을 마주한 참가자들의 슈터 편견이 자동으로 활성화되어 고정관념과 일치하는 표적에 사격하는 오류가 발생했다.

1-2.
　<표1>에 따르면 백인은 공식 범죄통계에 나타난 살인사건 피해자 비율이 가장 낮지만, TV뉴스에서는 가장 큰 피해자 집단으로 묘사된다. <표2>에서 흑인은 실제 사건 가해자 비율이 가장 낮지만, TV 뉴스에서는 가장 큰 가해자 집단으로 등장한다. 한편, <표1>과 <표2>에서 라틴계는 실제 살인사건 피해자와 모든 사건 가해자 비율 모두 가장 높게 나타나지만, 이들이 TV뉴스에서 피해자와 가해자로 다뤄지는 비율은 매우 낮다. TV뉴스에서 백인의 피해자성이 두드러지는 것은 <가>에 나타난 슈터 편견 실험 결과가 시사하듯이 미디어에서 백인은 흑인의 공격성에 의한 피해자이자 상대적으로 범죄를 저지르지 않는 긍정적 존재로 정형화된 결과다. 흑인의 가해자성은 미국 사회에 이들에 대한 문화적 고정관념이 보편적으로 수용되고 있으며, 각종 미디어에서 설명적 쉼표나 뉴스 및 오락 콘텐츠의 이야깃거리를 위한 소재로 이러한 고정관념이 정형화되고 있기 때문이다. 라틴계의 상황은 소수인종에 대한 미디어의 문화적 재현과정에서 소외, 배제, 삭제라는 상대적 비가시성이 작용한 결과로 볼 수 있다. 흑인의 경우 미디어를 통한 정형화로 인해 부정적 고정관념이 고착되고 있다면, 라틴계는 정형화보다는 사회적 재현에서 보이지 않는 범주로 주변화되고 있다.

2-1.
　<가>와 <나>는 모두 인간을 닮은 인공물이 인간의 영역에 접어들 때에 인간의 마음속에 생기는 불쾌감에 대해 다루고 있다. <가>의 인형은 왕의 권력에 접근함으로써 왕의 불쾌감을 자아냈고, <나>의 '움직이는 손'과 같은 인공물은 인간과의 유사성으로 인간의 영역에 접근함으로써 불쾌감을 자아냈다. 하지만 이 둘의 극복 방식은 변별된다. <가>에서는 인형의 행동을 언제든 멈추게 할 수 있는 '통제 가능성'을 확보함으로써 극복했고, <나>에서는 인간의 외형과는 다른, 즉 인간의 모습과 '변별되는 디자인'을 추구함으로써 극복할 수 있다고 주장하였다.

2-2.
　<나>의 불쾌한 골짜기 이론은 인간을 닮은 인공물이 인간과 유사해질 때 생기는 심리 변화에 대한 것이다. 인간은 처음에는 인간과 닮은 것에 친밀감을 느끼나, 그것이 인간 외형을 점차 닮아가고 여기에 움직임까지 가미되면 불쾌감을 느낀다는 것이다. 이유는 움직임이 외형의 이질감을 자각시켰기 때문이라고 본다.
　<다>의 나의 행위 및 심리적 변화는 불쾌한 골짜기 이론에 대응된다. 먼저 이 둘은 인간

이 인간을 닮은 인공물을 만드는 데서 생겨나는 문제들이다. <나>의 인공물은 <다>에서는 괴물로 나타난다. 다음 <나>의 초기 단계의 친밀감은 <다>의 초기 괴물과의 친밀감으로 나타난다. <나>에 따르면 인간의 외형을 닮아갈 때 친밀감도 높아지는데 <다>도 괴물의 외양이 완성될수록 친밀감이 높아지고 있다.

마지막으로 <나>는 인간과의 유사성이 정점을 지나면 급격한 불쾌감의 골짜기로 빠진다고 보는데 <다> 또한 이 현상이 나타난다. <나>에 따르면 급격한 불쾌감을 유발하는 요인은 '움직임'인데 이 움직임이 오히려 외형의 이질감이 자각시키면서 불쾌감이 생겨난다고 본다. <다>에서 움직이지 않던 괴물을 평온하게 느끼던 '나'가, 그의 근육과 관절이 살아 움직이자 불현듯 그 실체를 느끼고 두려움에 빠지는 장면이 있는데 이것이 바로 이 단계에 해당한다.

3. 2024학년도 숙명여대 모의 논술

1-1. <가>의 '촌장'의 주장과 <나>의 논지를 요약하고 공통점을 서술하시오. (300±30자)

1-2. <표 1>에 나타난 A와 B 두 집단의 공통된 특성을 서술하고, <표 1>과 <표 2> 그리고 <나>의 논지를 활용해서 A집단의 특성을 설명하시오. (600±60자)

2-1. <가>의 밑줄 친 부분에서 보이는 마지절의 미덕(美德)을 쓰고, <나>의 글과 그림을 활용하여 그의 행위를 비판하시오. (300자±30자)

2-2. <다>에서 설명하고 있는 핵심 개념과 그 구성 요소들이 <가>의 상황에 적용될 가능성을 타진한 후, 그 적용의 한계에 대해서도 언급하시오. (600자±60자)

1-1

<가>에서 촌장이 이리떼가 실제 존재하지 않는다는 것을 알면서도 망루를 설치하고 파수꾼을 두어 경계하게 한데서 그가 집단의 유지와 질서를 위해서 외부의 적에 대한 경계심이 필요하고 개인의 희생이 불가피하다고 주장한다는 것을 알 수 있다. <나>는 투쟁하는 집단은 단결과 존속을 위해서 구성원에게 외부의 적의 존재를 환기하고 그 위협을 강조하며 기존의 외부 위협이 사라지면 새로운 위협의 대상을 찾는다고 본다. <가>의 촌장과 <나>는 집단의 질서를 유지하기 위해 외부의 적을 필요로 하면서도 실제로 반드시 적이 존재할 필요는 없다고 생각한다는 점에서 공통된다. (314자)

1-2

<표 1>에서 A와 B 두 집단은 모두 자신의 집단에 유리한 내용의 뉴스에 대해서는 진위 여부에 관계없이 사실로 수용하는 정도가 높았던 데 반해, 집단별 유불리와 무관한 내용의 뉴스에 대해서는 여타 집단과 비슷하게 사실 여부를 판단했다. 이를 통해서 A와 B 두 집단은 집단 이해와 무관한 영역에서는 상식적인 판단 능력을 발휘했지만, 집단의 이해와 관련한 사안에는 현저하게 자기 집단에 편향된 태도를 가졌다는 것을 알 수 있다.

<표 2>에서 A집단은 성별, 종교, 국적이 다른 대상에 대한 감정온도에서 B집단이나 여타 집단과 큰 차이가 없었던 데 반해, 유독 정치적 견해가 다른 대상에 대한 감정온도는 크게 낮았다. A집단이 집단 유불리에 따른 편향된 태도를 갖는다는 <표 1>의 내용과 A집단이 정치적 견해가 다른 B집단을 특히 부정적으로 인식한다는 <표 2>의 내용을, 외부와의 첨예한 갈등이 집단 내 반대자에 대한 일치된 대응 행동을 생성한다는 <나>의 논지를 통해서 종합해 보면, A집단은 B집단에 대한 부정적 감정을 바탕으로 이들을 외부의 적으로 설정해서 내부의 단결을 도모하고, A집단의 존속을 위해서 정치적으로 편향된 행동을 취하게 하였다고 추론할 수 있다. (601자)

2-1.

밑줄 친 부분에서 보이는 마지절의 미덕은 공허한 명성에 휘둘리지 않고 현장 지식이 풍부한 사람의 말을 경청하고 수용한 데 있다. 그러나 <나>를 참조할 때 그림을 찢은 그의 행위는 섣부른 것이기도 하다. 왜냐하면 싸울 때의 소는 꼬리를 절대로 빼지 않는다는 농부의 진술과는 달리 <나>의 이중섭의 소 그림과 현장의 사진에서 보이듯 소는 싸울 때 꼬리를 다리 밖으로 빼기도 하기 때문이다. 마지절이 엉터리라고 보고 찢은 '소꼬리가 밖으로 나온 대숭의 그림'은 사실은 소싸움의 역동적인 한 순간을 잘 포착한 것일 수도 있으므로 그의 행위는 성급했던 것으로 평가된다.

2-2.

<다>의 핵심 개념인 언더도그마는 사람들은 강자와 약자가 대립할 때 약자의 주장을 신뢰하는 경향이 있음을 뜻한다. 그렇기에 언더도그마의 하위에는 강자의 주장, 약자의 주장, 판단자라는 세 구성요소가 있다고 할 수 있다.

언더도그마와 하위 요소들은 <가>의 상황에 적용될 수 있다. 왜냐하면 <가>에도 강자와 약자의 대립이 있고 판단자가 약자의 편을 드는 현상이 나타나기 때문이다. <가>에서의 강자는 대숭이다. 그는 관찰을 통해 '소의 꼬리가 밖으로 빠져 있는 소싸움 그림'을 그린 바 있다. 농부는 약자에 대응되는데, 그는 대숭의 그림과 대립되는 주장을 한다. 즉 '소는 싸울 때 절대로 꼬리를 빼는 법이 없다'고 본다.

이 둘의 대립에서 판단자 마지절은 농부의 입장을 지지한다. 대숭 또한 소를 관찰하며 그림을 그렸다는 점에서 볼 때 소의 모습에 대한 전문성은 농부에 못지않지만, 대숭의 그림을 부정하고 농부의 주장을 받아들인다. 이 행위는 언더도그마, 즉, '강자와 약자의 주장이 대립할 때 사람들이 약자의 편을 쉽게 드는 경향'과 닮은 점이 있다.

한편, 마지절이 소에 대한 농부의 현장 전문성을 대숭의 전문성보다 더 높이 사서 한 행위라고 한다면 그 행위는 언더도그마의 틀에 가두어 적용할 수만은 없다는 한계가 있다.

4. 2023학년도 숙명여대 수시 논술 (1회차)

1-1. <가>와 <나>에서 제시한 기후위기에 대한 대응의 차이점을 서술하시오. (300±30자)

1-2. <다>와 <그림 1>을 활용하여, <가> 주장의 한계에 대해 설명하시오. (600±60자)

2-1. <가>와 <나>에 나타난 인간관을 비교하시오. (300±30자)

2-2. <다>에서 '영 케어러'가 처한 문제적 상황을 설명하고, <나>의 내용을 바탕으로 그 대응 방향을 서술하시오. (600±60자)

1-1.

　제시문 <가>와 <나>는 기후 위기에 대한 대응 방안에서 차이점을 보인다. <가>는 기후 위기를 기술을 통해 극복할 수 있다고 낙관하고 있으며, 그 정책이 기술 개발과 기업 지원에 집중되어야 한다고 강조한다. 그에 비해 <나>는 환경 위기의 주범으로 탄소불평등을 지목하고 있다. 탄소예산이 소수의 부유층에 의해 고갈되고 있는 탄소불평등의 해소 없이는 환경 위기가 극복되기 어렵기에 이를 해소할 공공정책을 펼쳐야 한다고 주장한다. 결국 <가>는 '지속가능한 경제 성장'을 추구하는 반면 <나>는 현재의 기후 위기 대책으로서 '지속가능한 경제 성장'은 한계가 있다고 주장한다.

1-2.

　제시문 <다>는 '지속가능한 미래'를 위해 '도넛 경제 모델'을 제시하고 있다. 도넛 모양의 바깥쪽은 '생태적 한계'를 나타내며, 안쪽은 '사회적 기초'를 나타낸다. 그리고 '생태적 한계'와 '사회적 기초'는 전 지구적 과정으로 긴밀하게 연관되어 있다. 이 경제 모델은 '지구의 환경 위기를 막는 것'과 '불평등 해소를 통해 공정한 사회를 만드는 것'이 균형있게 결합해야만 지속가능한 미래가 가능하다고 주장하는 데에 그 의의가 있다.

　그런데 <그림 1>을 보면 1990~2015년 사이 총 탄소 배출량의 52%를 부유층 10%가 차지하고 있고, 그중에서도 최상위 부유층 1%는 총 탄소 배출량 15%, 탄소예산의 9%에 책임이 있다. 그에 비해 하위 50% 빈곤층은 총 탄소 배출량의 7%과 탄소예산 4%에만 책임이 있는바, 탄소불평등이 심각한 상태임을 알 수 있다.

　이에 비추어 볼 때 <가>는 '생태적 한계'를 기술적 관점에서만 사고하고 있을 뿐 '사회적 기초'에 대해서는 간과하고 있다. 따라서 <가>에서 주장하는 '기술 개발을 통해 환경 위기를 극복하는 방안' 역시 새로운 환경 위기를 야기해 사회적 기초를 침해하는 것으로서 <다>가 주장하는 기후위기 대책을 충족시키지 못하며, 결과적으로 소수의 기업과 부유층만을 위한 정책이 될 위험성이 크다.

2-1.

　제시문 <가>에 따르면 인간은 자연 상태에서 독립적이며 자율적인 개인을 의미하며, 개인 간의 관계는 호혜적이고 평등하다. 이들은 스스로의 이성에 따라 자율적으로 행동하며, 독립된 노동 주체로서 각자의 능력에 기반한 노동에 따른 대가를 소유할 권리를 가진다. 그런데 제시문 <나>에 따르면 이러한 자유주의적 인간관은 '의존성'이라는 인간 보편의 조건을 반영하지 못한다. <나>가 제시하는 인간상에 따르면 인간은 누구나 관계 안에서만 존재할 수 있으며, 보편적으로 타인의 돌봄을 필요로 하고, 생애 주기나 질병으로 인한 취약성을 지니므로 타인에게 의존할 수밖에 없는 상호의존적 존재이다.

2-2.
　제시문 <다>에서 영 케어러는 경쟁과 돌봄 사이에서 어느 한쪽을 선택해야만 하는 모순적 상황에 직면했다. 이러한 상황은 영 케어러가 돌봄과 학업을 병행할 수 없는 데에서 기인한 ‘역할 갈등’으로 볼 수 있다. 노력과 경쟁을 통한 개인의 능력 향상을 중시하는 학교의 능력주의적 가치관과, 자립할 능력이 없는 가족을 돌보는 데에 중요한 가치를 두는 집에서의 가치관이 충돌해서 발생한 문제적 상황인 것이다.
　이러한 문제를 해소하기 위해서는 제시문 <나>에서 제안한 돌봄민주주의 가치관으로의 전환이 필요하다. 능력주의 사회에서는 돌봄이 필요한 존재를 불완전한 존재로 인식하는 것과는 달리 돌봄민주 주의에서는 인간을 본질적으로 상호의존적 존재로 인식한다. 그래서 돌봄민주주의는 돌봄의 공적 가치를 인정하고, 사회 구성원 모두가 돌봄의 제공자이자 수혜자로서 서로가 서로를 돌보는 실천적 책임을 수행할 것을 주장한다. 이러한 주장처럼 돌봄이 공공재로서 존재했다면 영 케어러는 역할 갈등에 빠지지 않고 학업에 집중할 수 있었을 것이다. 독일의 ‘돌봄혁명’과 같은 가치관 전환을 위한 노력을 통해 각자의 개별적인 삶을 공동체로 연결시키고, 경쟁사회를 연대사회로 변화시킨다면 제시문 <다>와 같은 ‘문제적 상황’을 상당 부분 해소할 수 있을 것이다.

5. 2023학년도 숙명여대 수시 논술 (2회차)

1-1. <다>의 ‘경제적 측면의 합리적 선택’의 관점에서 <그림 1>과 <그림 2>에 나타난 소득 1분위와 5분위 가계의 소비 특성을 설명하시오. (300±30자)

1-2. <가>의 ‘돈쭐’과 <나>의 ‘브랜드 숭배’의 공통점과 차이점을 서술하고, 이 소비 행동들을 <다>의 ‘사회적 합리성’의 관점에서 각각 평가하시오. (600±60자)

2-1. <가>의 ‘라디오’와 <나>의 ‘장부’의 유사성에 대해 기술하시오. (300±30자)

2-2. <다>에서 경계하는 바를 요약하고, 이를 참조하여 <가>와 <나>가 구축해나가는 사회의 위험성을 기술하시오. (600±60자)

1-1.
　합리적 선택의 원칙에 따르면 가계는 제한된 소득에 소비항목을 조정한다. 1분위 소득계층은 소득보다 소비지출이 많아서 소비여력이 부족하기 때문에 주식·부식용 식료품, 주거와 수도 난방, 의료 등 생활에 필수적인 편익을 제공하는 항목의 소비 비중이 높고, 오락 및 문화, 외식·숙박, 교통비·자동차구입비, 의류 및 신발, 교육 등 선택적 지출 항목의 비중은 낮다. 반면에 5분위 소득계층은 소비지출 수준을 늘릴 수 있기 때문에 필수재 소비 비중이 낮고, 대신 가계 구성원의 선호와 미래 투자와 같은 편익을 제공하는 선택적 항목의 지출 비중이 높다.

1-2.
　<가>의 돈쭐과 <나>의 브랜드 숭배는 최소 비용으로 최대 편익을 추구하지 않고, 물품의 본래 사용 가치보다는 부가된 가치를 통해서 내면 만족을 추구한다는 점에서 공통점이 있

다. 또한 자신을 드러내는 연출, 즉 자아정체성을 형성해가는 의미 추구 행위로 소비를 인식한다는 점에서 공통된다. 하지만 돈쭐은 자신의 가치를 타인과 공유해서 사회적 가치로 확산해 가는 능동적 행위인 데 반해, 브랜드 숭배는 제품과의 동일시를 통해 자신의 미적 가치를 추구하고 만족감을 중시하는 의례적 행위라는 점에서 차이가 있다.

돈쭐은 사회적 책임을 다한 업체의 물품 소비를 통해서 그 가치에 대한 지지를 표현하고, 나아가 타인의 구매 행동에까지 영향을 미쳐서 사회가 정의로움과 공동선을 추구하는 데 기여한다는 점에서 타자와 사회에 대한 책임을 강조하는 사회적 합리성을 충족한다. 다만 개인적 만족도가 높은 특정한 사회적 가치를 위한 소비에 치우치지 않고 친환경과 공정무역 등에 관심을 확대할 필요가 있다. 반면에 브랜드 숭배는 브랜드가 구축한 이미지를 통해 개인의 내적 만족을 추구하는 소비로서 국제 분업 과정에서 노동착취, 환경파괴, 교역 불평등을 야기한다는 점을 고려하지 않는다. 개인과 공동체의 조화를 추구하는 가치를 실현하지 못하므로 브랜드 숭배는 사회적 합리성을 충족한 소비가 아니다.

2-1.

<가>의 라디오는 독일의 각 가정에 저렴하게 보급되었다. 정부는 라디오를 통해 많은 국민에게 동일한 메시지를 쉽게 전달할 수 있었고, 결국 대중을 하나로 엮어 장악할 수 있게 되었다. <나>의 장부도 라디오와 비슷한 속성을 지니고 있다. 장부는 2019년에 새롭게 등장하여 음식점업체에 무료로 제공되었고, 앱이 지닌 편의성 때문에 많은 업체가 이에 종속된다. 그리고 이를 통해 얻게 된 정보들을 통해 장부는 시장 지배력을 높인다. 이처럼 라디오와 장부는 흩어져 있는 것들을 하나로 엮어 통제 가능한 범위에 둘 수 있도록 대량으로 보급된 수단이라는 유사성이 있다.

2-2.

<다>는 법과 제도로 엮인 사회를 잘 묶인 궤짝에 비유하며 그 위험성을 지적하고 있다. 궤짝을 열고자 하는 도적에게는 잘 묶인 궤짝이 보안에 효과적이지만, 궤짝 자체를 훔치는 큰 도적에게는 오히려 튼튼하게 묶여 있는 궤짝이 한꺼번에 훔치기 용이하다고 설명한다. 잘 묶여 있을수록 통째로 도둑맞기 쉽다는 것은 잘 조직된 체계에서도 동일하게 적용된다. 되, 저울, 도장 등이 우리 사회를 편리하게 해주지만, 누군가가 나쁜 의도를 가진 경우에는 오히려 더 큰 피해를 일시에 입힐 수 있는 위험성을 지닌 수단이 될 수 있는 것이다.

<가>와 <나>의 사회는 구성원을 하나로 묶어 체계적으로 통제하는 사회이다. <가>에서는 정부의 메시지를 국민에게 일시에 전달하기 위해 라디오를 싸게 보급했고, <나>에서는 배달음식업체들이 앱에 의존할 수 있도록 장부를 무료로 제공했다. 라디오의 보급률이나 장부의 시장 지배력으로 볼 때 이들의 조직화는 성공한 것으로 보인다. 그러나 이러한 조직화는 <다>가 경계하는 바와 맞닿아 있다. 만약 나쁜 의도를 지닌 누군가가 이러한 수단을 이용하여 전체를 조종하고자 한다면 구성원들은 <가>에서의 사례와 같이 조종자의 의도대로 쉽게 통제될 것이며, 이는 더 큰 피해로 이어질 수 있다. 이러한 점에서 <가>와 <나>의 사회는 위험성을 지닌다고 볼 수 있다.

6. 2023학년도 숙명여대 모의 논술

1-1. 〈가〉의 '공정한 기회균등 원칙'의 관점에서 <나>와 <다>의 차이를 설명하시오. (300±30자)

1-2. 〈가〉의 논지와 〈다〉를 활용하여 <나>의 '능력주의 쿠데타'를 평가하시오. (600±60자)

2-1. 〈나〉의 개념 중 하나를 활용하여 〈가〉의 행위를 설명하시오. (300±30자)

2-2. 〈나〉의 '주술'과 〈다〉의 '비유'의 공통점과 차이점에 대해 설명하시오. (600±60자)

1-1

　〈나〉는 미국에서 코넌트가 학업성취도평가를 도입하고 전국으로 확대 시행하여, 학생이 가정형편이나 부모의 신분, 소득과 무관하게 타고난 지능과 재능을 계발할 수 있는 공정한 기회를 제공하려고 했다는 점에서 공정한 기회균등 원칙에 부합한다. 이에 비해, 〈다〉에서 [표]는 미국에서 소득이 높을수록 학업성취도평가 점수가 예외 없이 높아지며, [그림]은 고소득층과 저소득층 간에 대학 진학률 및 졸업률이 상당히 격차가 난다는 사실을 보여준다. 이 점에서 〈다〉는 부모소득과 같은 외적 요인이 대학 입학에 상당한 영향을 미친다는 점에서 공정한 기회균등 원칙에 부합하지 않는 교육 현실을 보여준다. (330자)

1-2

　능력주의 쿠데타는 부모의 신분, 경제력과 무관하게 학업성취도평가를 통해 뛰어난 학생들을 선발하여 재능을 계발할 수 있도록 하고, 계층 간 사회 이동성이 활발해지도록 함으로써 공정한 기회균등이 보장되는 사회를 지향한다. 그러나, 〈다〉의 사례를 통해 드러나듯이, 학업성취도평가를 통해 실제로 대학에 입학하고 졸업하는 학생들에게 그가 속한 가계와 부모의 소득이 유의미한 영향을 미친 것이 사실이므로, 능력주의 쿠데타는 미국의 교육 현실에서 본래의 취지를 제대로 구현하지 못했다고 판단된다. 공정한 기회균등을 실현하려는 능력주의 쿠데타가 성공하기 위해서는, 소득 불평등이 학업 성취도평가 점수나 대학 입학률과 졸업률에 유의미한 영향을 미칠 수 있는 가능성을 통제해야 한다. 이를 위해서는 공정한 기회균등 원칙과 더불어 차등 원칙에 대한 고려도 필요하다. 차등 원칙에 의하면 부모의 소득과 같은 가정환경 뿐만 아니라 개인의 타고난 지능과 재능, 노력에서조차 우연성을 배제할 수 없으므로, 교육에서 경쟁을 통해 획득된 특정 개인의 성과가 사회 경제적 이익으로 과도하게 전이되지 않도록 불평 등을 완화하는 제도가 마련되어야 한다. 차등 원칙에 따라 최소수혜자에게 최대 이익이 되도록 불평등을 해결하는 문제까지 함께 고려할 때, 능력주의 쿠데타가 의도한 공정한 기회균등도 충분히 실현될 수 있다. (660자)

2-1.

　〈나〉에는 주술의 두 작동 원리가 나온다. 하나는 '모상에 행위를 함으로써 본상에 영향이 미치도록 함'이고 다른 하나는 '접촉해 있던 물건에 행위를 함으로써 원소유물에 영향이 미치도록 함'이다. 전자를 '유사성의 원리'라 할 수 있고 후자를 '인접성의 원리라 할 수 있다.

<가>의 터부는 죽음에 대한 주술적 믿음이라 할 수 있는데 그 행동들을 보면 죽은 자와의 접촉을 꺼리는 것을 볼 수 있다. 그것은 죽은 자와 접촉함으로써 죽음과 관련된 기운이 살아 있는 사람에게 퍼지는 점을 막기 위한 것이다. 따라서 접촉함으로써 죽음의 기운이 작동하는 원리, 즉 인접성의 원리로 설명된다.

2-2

<나>의 주술과 <다>의 비유는 '두 대상을 연결하려는 사고 작용'이란 점에서 공통점을 지니고 있다. 주술은 이쪽의 주술 행위를 저쪽의 주술 대상으로 연결하려는 사고 작용이고, 비유는 익히 알려진 것과 잘 알려지지 않은 다른 것을 연결하려는 사고 작용이다. 그리고 이 둘은 비슷한 원리를 지닌 하위 범주로 나뉠 수 있는 공통점도 지니고 있다. 주술의 경우 유사한 행위를 따라 하면 유사한 결과가 나타나는 원리와, 사물의 부분에는 그 전체의 속성이 담겨 있다는 원리가 나타나는데, 이는 비유의 경우도 마찬가지이다. 비유는 두 사물의 유사 속성을 활용하는 유사성의 원리가 있고, 한 사물의 부분을 지칭함으로써 전체를 지칭하게 되는 인접성의 원리가 있는데 이는 주술의 두 원리와 유사한 것이라 할 수 있다.

주술과 비유는 차이점도 있다. 주술은 관념의 유사성이 물리적 변화로 이어진다고 믿는 반면, 비유는 우리의 인지에만 국한하여 사용한다는 점이다. 주술에서의 비를 흉내 내는 등의 모방 행위를 하는 이유는 물리적인 변화가 나타날 것이라는 믿음을 바탕으로 하고 있지만, 비유에서 법을 '그물'이라 표현한 것 등은 그런 물리적인 변화를 의도한 것은 아니다. 단순히 인식의 범주 속에서 공감의 폭을 넓히려는 목적에서만 구사되는 것이다.

7. 2022학년도 숙명여대 수시 논술 (1회차)

1-1. <가>의 관점에서 아래 <표 2>를 참고하여 <다>의 전문가 발언의 한계를 설명하시오. (300±30자)

<표 2> 2020 ~ 2021년 3/4분기 15세 이상 취업자수(연령대별)와 고용률

기간		취업자수 합계(십만 명)	15 ~ 29세 (십만 명)	30 ~ 40대 (십만 명)	50대 (십만 명)	60세 이상 (십만 명)	고용률(%)
2020년	7월	271.1	38.0	117.0	63.6	52.5	60.5
	8월	270.9	38.1	116.1	52.9	63.8	60.4
	9월	270.1	37.3	115.7	53.5	63.6	60.3
2021년	7월	276.5	39.9	115.9	64.6	56.1	61.3
	8월	276.0	39.5	115.3	64.6	56.6	61.2
	9월	276.8	39.5	115.7	64.9	56.7	61.3

1-2. <나>의 논지를 활용하여 <다>의 <표 1>을 분석하고, 이를 근거로 <다>의 견해를 평가하시오. (600±60자)

2-1. <가>의 문제를 <나>의 관점에서 설명하시오. (300±30자)

2-2. <다>의 내용을 토대로 <나>의 주장을 비판하시오. (600±60자)

1-1.

　<가>에서는 계층 간에 자산·소득·소비에 있어 '차이' 혹은 '격차' 발생을 확인할 수 있다. 이런 관점에서 <표 2>를 검토한 결과는 다음과 같다. 우선 2021년 3/4분기 15~29세 취업자수는 전년 동기 대비 평균 18만 명 증가했다. 또한 50대와 60세 이상 취업자수는 각각 평균 10만 명과 평균 35만 명 증가했다. 반면 유일하게 30~40대에서만 취업자수가 증가하지 못했거나 오히려 감소했다. 이처럼 연령대에 따른 취업자수 증가에 차이가 존재한다. 그럼에도, 이러한 연령대간 차이를 무시했다는 점에서 <다>의 전문가 발언에는 한계가 있다. (이상, 310자)

1-2.

　<나>는 비교 기준이 달라지면 사물이나 현상을 인식한 결과도 달라지는 '착시' 현상을 설명하고 있다. <나>의 논지를 활용하여 <표 1>의 2021년 3/4분기 고용 상황을 2020년 3/4분기 및 2019년 3/4 분기와 각각 비교하면 대조적인 결과가 도출된다.

　비교 시점을 2020년 3/4분기로 설정하면, 2021년 3/4분기 취업자수는 50~60만 명가량 증가했고, 고용률도 1% 포인트 정도 상승했다. 이를 통해 2021년 3/4분기 고용 상황이 대폭 개선됐다고 말할 수 있다.

　반면 비교 시점이 2019년 3/4분기인 경우, 2021년 3/4분기 취업자수 증가폭은 둔화되어 24~28만 명에 그쳤다. 이는 비교 시점을 2020년 3/4분기로 했을 때의 취업자수 증가 규모의 절반가량에 불과하며, 예년 수준인 30만 명에도 못 미친다. 게다가 고용률은 2019년 3/4분기와 비교하면 오히려 0.2% 포인트 감소하였다. 결과적으로 2021년 3/4분기 고용 상황이 개선됐다고 할 수 없다.

　요컨대 비교 시점에 따라 2021년 3/4분기 고용 상황은 착시 현상을 일으키는데, 비교 시점을 2020년 3/4분기로 한정한 <다>의 견해는 고용 상황이 대폭 개선됐다는 해석의 편향을 불러온다는 점에서 문제가 있다. (620자)

2-1.

　<가>는 백성들이 모두 궁핍한 생활에 처해 있음을 문제로 제기한다. 그 까닭으로 사람들이 상업을 박대하여 시장이 제대로 작동하지 못하는 데 있다고 본다. 시장이 제대로 작동하지 않으므로 생산과 유통이 원활하지 않고, 그 때문에 다양한 생산 기술도 발전하지 못하고 있다는 것이다. <나>에 의하면, 인간의 다양한 노력을 가장 효율적으로 조정하는 방법은 어떤 억압이나 강제적인 규제 없이 일어난 자유로운 경쟁이다. 시장은 바로 이러한 경쟁이 일어날 수 있는 장소다. <나>의 관점에서 볼 때 <가>의 문제는 바로 이런 시장의 위축으로 인해 발생한다. (306자)

2-2.

　<나>는 시장에서 일어나는 자유로운 경쟁이야말로 인간의 노력을 효율적으로 조정하는 방법이라고 주장한다. 그래서 시장 참여자들은 거래 상대방을 찾을 수 있는 한 어떤 물건이건 자유롭게 생산하고 거래할 수 있어야 한다고 주장한다. 그 경우 노동·토지·화폐와 같

은 산업의 필수 요소 역시 그런 거래의 대상에 포함될 수 있을 것이다. 그러나 <다>는 그러한 가정이 잘못되었다고 본다.

<다>에 의하면, 노동과 토지 그리고 화폐가 중요한 요소이며 시장에서 조직되어야 하는 것은 맞지만, 그렇다고 상품은 아니다. 노동은 곧 인간 자신을 의미하고, 토지는 자연환경을 의미한다. 그런 사회적 실체들이 시장 메커니즘에 맡겨진다면 인간은 사회적 혼란의 희생양이 되고, 자연은 오염을 피할 수 없을 것이다. 또 화폐의 공급이 시장 메커니즘에 맡겨진다면 기업들의 주기적인 파산도 피할 수 없다. 이는 거래할 수 있는 것은 무엇이든 시장의 상품이 될 수 있으며, 그런 시장에서의 경쟁이 가장 효율적인 방법이라는 <나>의 주장에 문제가 있음을 보여준다. 시장 경제 체제 아래서 노동·토지·화폐와 같은 산업의 필수 요소 역시 시장에서 조직되어야 하겠지만, 그것들은 상품이 아니며 시장 경제의 부작용으로부터 보호될 필요가 있다. (616자)

8. 2022학년도 숙명여대 수시 논술 (2회차)

1-1. <가>를 활용하여 지구온난화에 대한 대응이 어려운 이유를 요약하시오. (300±30자)

1-2. <가>의 상황에서 <나>의 배출권거래제와 <다>의 탄소국경조정제가 지구온난화 방지에 기여하는 방식을 비교하시오. (600±60자)

2-1. <가>와 <나>에서 '언어와 사고'의 관계를 이해하는 방식의 공통점을 기술하시오. (300±30자)

2-2. <나>의 논지를 활용하여 <다>의 '그들의 언어'에 대해 비판하시오. (600±60자)

1-1.
지구환경은 이용의 비용을 낼 필요가 없고 한쪽의 소비가 다른 쪽의 소비를 제한하지 않는 공공재이다. 이러한 특성은 지구 자원의 남용을 막는 대응을 어렵게 하고 일부 국가들의 무임승차를 막을 수 있는 효과적인 방법을 찾기 쉽지 않다.

또한 각국은 자국의 이익을 우선함으로써 자신에만 유리한 우월전략을 선택할 가능성이 크다. 표의 용의자 딜레마처럼 다른 국가가 어떤 선택을 하든지 상관없이 비협조를 선택하는 것이 더 유리하다. 그 결과 모두 비협조하는 선택이 이루어진다. 지구환경이 남용되고 지구온난화로 이어지는 공유지 비극이 발생하는 이유다.

1-2.
지구온난화 방지를 위해서는 국가들의 협조가 요구되지만, 우월전략에 따른 비협조 상황에 놓이므로 이를 극복하기 위한 제도가 필요하다.

<나>의 배출권거래제는 설정된 배출권과 다른 실제 배출량의 차이를 배출권의 거래를 통해 조정할 수 있는 제도다. 이러한 거래는 공정한 경제적 풍요를 보장하므로 국가들이 협조할 수 있게 하며, 전 지구적으로 배출 총량이 제한되므로 온난화 방지에 기여한다. 그러

나 이 제도는 교토의정서 참여국에만 의무적이기에 참여하지 않은 국가들의 비협조나 온난화 방지의 무임승차에는 한계가 있다.

<다>의 탄소국경조정제는 유럽연합 내로 수입하는 제품의 탄소 배출량에 비용을 부과하는 제도다. 이러한 부과는 원산지 국가에서 이미 지불된 경우 감면되므로 원산지 국가가 그 비용을 자국에서 거두길 선호하기에 국내적으로 탄소 비용을 부과하는 협조에 나서게 할 수 있다. 탄소국경조정제와 그로부터 촉발된 탄소 배출 비용 부과는 지구 환경 이용의 비용 부과로 남용을 억제하고 그 재원을 탄소 배출 감축에 투자하여 온난화 방지에 기여한다.

그리하여 배출권거래제는 조약에 참여하는 국가들 사이에서 협조를 이루고 탄소국경조정제는 비협조의 이익을 없애면서 협조하도록 유도하는 방식으로 온난화 방지에 기여한다.

2-1.
<가>는 프레임이 인간에게 외부 세계를 이해하게 해 줄 뿐 아니라 그것을 창조하도록 해주는 정신적 구조로서 언어를 통해 인식되지만, 그 본질은 사고에 있음을 밝히고 있다. <나>는 언어가 외부 세계를 구성하는 사물들을 인식할 수 있게 하는 매개적 역할을 할 뿐 아니라 세계를 주관적으로 가공할 수 있음을 논하고 있다. 이런 점에서 <가>와 <나>는 언어가 외부 세계를 인식하게 해주는 매개적 기능을 한다는 것, 나아가 언어가 외부 세계를 구성하는 기능을 한다는 것 등 '언어의 기능'이라는 측면에서 언어와 사고의 관계에 대해 두 가지 공통된 이해를 보여준다. (314자)

2-2.
<나>는 언어가 외부 현실을 구성하는 과정에는 화자의 입장이 반영될 수밖에 없으므로 현실에 대한 인식이 주관적으로 가공될 수 있다는 점, 따라서 현실이 화자의 사적인 욕망에 기초하여 구성되어 객관적 실재 상황과 불일치할 때, 화자의 왜곡된 욕망을 투영한 언어는 현실에 대한 인식을 왜곡할 뿐만 아니라 타자에게 그 왜곡을 강요하는 문제를 낳는다는 점을 주된 논지로 삼고 있다.

<다>는 '나'를 심문하는 '그들(=위관들)의 언어'를 문제화하고 있는데, <나>의 논지에 비추어 볼 때, '그들의 언어'에 대해 두 가지 측면에서 비판할 수 있다. 우선, '그들의 언어'는 '바다의 사실'이라는 객관적 실재의 상황에 근거한 것이 아니라 '정치적 상징성'을 바라는 임금의 사적 욕망을 좇아 정밀하게 짜 맞추어진 '충과 의의 구조물' 아래 구성된 '헛것'에 불과하다는 점에서 그것은 현실에 대한 인식을 왜곡할 수 있다고 비판할 수 있다. 둘째, '그들의 언어'는 '나'를 엄한 소리로 심문하고 있지만 '나'가 답변할 수 없도록 '답변을 미리 예비'한 것이라는 점에서 지극히 자기중심적인 욕망의 언어이다. 따라서 그것은 타자의 얼굴을 볼 수 없게 할 뿐 아니라 자기만족을 위해 왜곡된 자신의 욕망을 타자에게 강요하는 문제를 낳고 있다고 비판할 수 있다. (637자)

9. 2022학년도 숙명여대 모의 논술

1-1. 제시문 <나>와 <다>에 나타난 소년범에 대한 관점을 비교하시오. (300±30자)

1-2. 아래 제시된 표에 드러난 '최근 10년간 소년범죄 발생추세'를 범죄유형별로 분석하고, 이러한현상에 대한 대응 방안을 제시문 <가>와 <나>를 활용하여 기술하시오. (600±60자)

<표> 범죄유형별 소년범죄의 발생비* 추이(2010-2019년)

다음은 2010년을 기준으로 최근 10년간 소년 범죄자의 범죄유형별 발생비 추세를 나타낸 것이다.

연도	재산범죄		강력범죄(흉악)	
	발생비	증감률	발생비	증감률
2010	400.7	-	33.7	-
2011	403.0	0.6	38.1	13.1
2012	442.4	34.7	10.4	3.0
2013	430.9	7.6	34.4	2.1
2014	367.4	-8.3	32.0	-5.0
2015	332.9	-16.9	28.2	-16.4
2016	352.9	-11.9	35.7	5.9
2017	319.3	-20.3	38.1	13.0
2018	300.6	-25.0	39.8	18.2
2019	327.6	-18.2	43.2	28.2

*발생비는 소년 인구 10만 명당 범죄 발생 건수를 가리킨다.

2-1. 제시문 <가>와 <나>에서 드러난 공통적인 인간상을 설명해 보시오. (300±30자)

2-2. 제시문 <다>의 내용을 토대로 위 [문제 2-1]의 인간상을 비판적으로 평가해 보시오. (600±60자)

1-1

　<나>는 형벌이 낙인이 되어 사회 복귀를 곤란하게 하고 장기간 교정시설 내 구금이 가족과 지역으로부터 분리함으로써 재범률을 높이기에 엄벌주의로는 소년비행 문제를 해결할 수 없다고 본다. 반면 <다>는 인터넷 발달로 모방이 늘고 잔혹함이 영웅시되고 있는 소년범죄에 대응하여 사회를 보호하고 소년범이 신체적으로나 정신적으로 전보다 성숙하기에 사회적 책임을 강하게 묻는 엄벌주의가 필요하다고 본다. 그리하여 관점에서 <나>는 소년비행에 대해서는 엄벌주의를 삼가야 한다는 것이고, <다>는 소년 중범죄에 대해서는 엄벌주의에 처해야 한다는 것이다. (301자)

1-2

　<표>에서 나타난 소년범죄 발생의 큰 추이는 흉악 강력범죄의 경우 늘어난 반면, 재산범죄의 경우 줄고 있다. 그 속에서도 발생 건수는 해당 기간 전체에 걸쳐 재산범죄가 흉악 강력범죄에 비해 대략 10배에 달한다. 연도별 발생 추이에서는 흉악 강력범죄가 증가하고,

범죄 발생 건수에서는 전체적으로 재산범죄가 압도적이다.

　<가>와 <나>는 낙인으로 인한 부정적 효과를 지적하고 있다. <가>에 따르면, 문제아로 낙인찍힌 사람은 부정적인 자아 정체성을 형성하고 일탈행동을 반복하게 된다. 법정에 서는 것은 그런 낙인 효과를 더 심하게 한다. <나>에 따르면, 형벌은 강한 부정적 효과를 낳고 공식적 낙인으로 인해 사회에서 배제하고 부정적 자기 관념을 강하게 형성시키기에 사회 복귀가 어려워져 재범할 가능성을 높인다. 소년비행은 엄벌주의로 해결할 수 없다.

　따라서 소년범죄는 소년비행과 흉악 강력범죄를 구분해서 대응하여야 한다. 소년범죄 대부분을 차지하는 재산범죄는 형벌의 공식적 낙인으로 인해 재범률을 높일 수 있기에 엄벌주의 대신 교육과 사회 복귀를 강조하는 보호처분이 필요하다. 최근 늘고 있는 흉악 강력범죄도 구금 중심의 형벌에만 의존하지 않고 보호처분을 함께 고려하여야 한다. (601자)

2-1

　<가>의 에일머는 인간이 과학 지식의 힘으로 자연을 통제할 수 있다고 믿는 인물이다. 그의 믿음은 자연만이 아니라 인간의 불완전성마저도 극복할 수 있다는 데까지 나아간다. 이는 그가 조지아나의 뺨에 있는 반점을 지우고자 노력하는 것에서 잘 드러난다. 에일머의 이러한 인간상은 <나>에서도 확인할 수 있다. <나>에 따르면 인간은 본성상 제약이 있는 다른 피조물들과 다르다. 인간은 비록 불완전한 존재로 창조되었기는 하지만 자유 의지를 가진 존재로서, 그 의지에 따라 더 나은 존재로 개선하고 조형해 갈 수 있는 힘을 가진 존재이다. (298자)

2-2

　문제 2-1의 인간상에 따르면 인간은 세상의 중심이자, 자연을 통제하고 나아가 인간 자신과 사회를 자신의 자유로운 의지에 따라 개선할 수 있는 존재이다. 자연과 사회를 통제할 수 있다는 믿음은 과학 지식의 성장과 발전에서 더욱 그 힘을 얻는다. 20세기 초 사람들이 사회를 더 건강하고 안전하게 만들 수 있다고 믿은 것은 의학과 유전학의 발전 덕이었다. 그런 믿음의 결과인 우생학 프로그램의 이념은 사회를 퇴보시킬 수 있는 열등한 존재를 솎아냄으로써 사회를 더 건강하고 안전하게 만들 수 있다는 것이었다.

　그러나 <다>가 보여주듯 20세기의 역사는 그러한 믿음이 얼마나 위험한 것일 수 있는지를 증언한다. 장애를 가진 사람이나 정신 질환을 가진 사람들에게 불임 시술을 강요하는 정책은 한 개인의 신체에 대한 자기 결정권을 무시한 인권 침해 외에 다름 아니다. 게다가 나치의 홀로코스트는 그런 이념이 얼마나 가공할 폭력에 이를 수 있는지를 보여준다. 오늘날 많은 사람들이 '우생학'이라는 이름을 거부하는 이유는 바로 그런 역사로부터의 교훈 때문이다. 인간이 인간 자신을 포함해서 자연을 자신의 의지에 따라 통제할 수 있다는 과도한 믿음은 더 이상 견지될 수 없는, 위험하고 시대착오적인 믿음이다. (613자)

10. 2021학년도 숙명여대 수시 논술 (1회차)

1. <나>를 통해 <가>의 문제적 상황이 발생한 이유를 설명하고, 이에 대해 <다>의 논지에서 비판하시오. (1,000±100자)

2. 〈가〉와 〈나〉의 공통점과 차이점을 서술하고, 〈다〉의 '공론조사'가 〈나〉에서 제기된 문제와 그 대안의 한계를 모두 극복할 수 있는 방안으로 적절한지 평가하시오. (1,000자±100자)

1.

　(가)는 생명공학 기술로 탄생한 인간의 클론에 대해 묘사하고 있다. 장기 기증을 목적으로 태어난 클론은 인간처럼 자신의 인생을 설계할 자유를 가지길 원하지만, 인간은 이 클론들은 인간에게 장기를 기증할 목적으로 탄생한 존재이기에 인간 생명의 존엄성을 가지지 못하며, 자신의 인생을 설계할 자유를 가지지 못한다고 주장한다.

　이러한 상황은 (나)에서 주장되는 생명공학의 옹호론을 통해 발생한 것으로 생각할 수 있다. 그에 의하면 유전자 조작 및 복제 기술 등의 기술은 환자의 치료 과정에서 발전한 것으로 실질적이며, 이념적인 면에서도 이는 개인의 자유권과 행복추구권을 보장하는 민주주의의 원칙에 바탕을 두고 있으며, 인간이란 종이 자신의 심신을 향상시키는 방향으로서 자연스러운 것이다. 과학은 항상 당대의 윤리적 문제에 도전해 왔다고 주장하는데, (가)의 인간 클론은 현실 사회가 금지하는 윤리적 문제에 직면하여 과학기술이 인간의 치료라는 목적 하에 인간 클론을 허용하게 되었을 때 발생하는 사회를 묘사하고 있다.

　그런데 (다)는 이와 같은 관점을 인간중심주의로서 비판하고 있다. 동물이란 자연스럽게 태어난 존재가 아니라 주권자인 인간에 의해 종속된 존재이며, 마찬가지 논리로서 아감벤은 인간이 동물로 환원되는 순간을 설명하면서, 인간도 인간이 지닌 모든 법적 권리를 박탈당하면 동물이 된다고 주장한다. 그렇기에 인간의 주권은 역설적으로 동물에 의해 탄생한다는 것이다.

　(다)의 관점에서 볼 때, (나)의 과학기술은 철저히 인간중심주의의 사고에만 기반하고 있는 것으로 비판할 수 있다. 과학이 당대의 윤리의 문제와 싸우면서도 그 한계를 넘어왔다는 미명 하에 인간을 동물로 환원하는 인간의 착취성이 감추어질 때 인간 클론은 출현할 수 있는 것이다. 이렇게 출현한 인간 클론은 비주체적 인간이며, 모든 권리를 박탈당한 인간, 즉 '동물'로서, 철저히 인간에게 종속된 '짐승인 인간'이다. 이러한 인간과 동물의 일방적인 착취 관계는 해소되어 동물은 인간으로부터 해방되어야 하고, 그러한 인간중심주의는 해체되어야 한다고 주장한다. [1026자]

2.

　〈가〉와 〈나〉는 민주주의 정치에서 다수 견해가 압도적인 영향력을 발휘해서 다른 견해 또 는 소수의 견해가 억압되는 것을 우려하고, 민중의 합리적 의사결정 능력이 부족하다고 보는 점에서 일치한다. 하지만, 그 진단과 대안 제시에서 차이가 있다. 〈가〉는 광장의 연설을 통해 여론이 결집되는 직접민주주의 방식이 다수의 위력을 증폭시켜 지식과 믿음의 영역까지 지배 하는 까닭에 지식인조차 다중의 생각을 바꿀 수 없다고 보는 반면에, 〈나〉는 민중의 다수 여론을 통해 의회를 지배할지라도 지식인이 의회에 진출해서 심의 과정에서 영향을 발휘하여 다수의 생각을 바꿔 합리적 의사결정을 할 수 있다고 본다는 점에서 차이가 있다.

<나>의 대의제에는 하나의 계급(민중)의 견해만 대표되는 선거제도상의 문제점과 선출된 대표들이 다른 견해나 우수한 대안에 관한 숙의 없이 단지 다수 여론을 따르게 되는 의사결정상의 문제점이 제기되어 있다. 그 대안으로 <나>는 교육받은 소수를 비례대표로 의회에 진출시켜 합리적 의사결정을 끌어내는 선거제 변화를 제안했는데, 이 경우에도 대표가 자신을 선출한 계급이나 집단의 이익과 견해를 대표하지 못하고 심의를 주도하는 엘리트의 견해를 과잉 반영하는 문제가 발생한다.

<다>의 공론조사는 세 가지 점에서 <나>의 문제점을 극복할 수 있다. 첫째, 시민참여단이 성, 연령, 지역 등에 따라 체계적으로 표집되어 다양한 정치적 견해를 대표하게 하고 또 그들이 모두 동등한 투표권을 행사하여 결정에 참여한다는 점에서 '정치적 평등' 조건을 충족시킨다. 둘째, 갈등 사안의 찬반 양측 전문가의 설명을 통해서 균형 잡힌 정보를 제공받고 소집단 토론을 통한 숙의 과정을 통해 다수의 횡포 문제를 극복할 수 있다. 셋째, 시민의 견해를 정부에 전달하여 정책에 영향을 미칠 수 있다. 다만, 공론조사는 상시가 아닌 갈등 사안에 대해서만 임시적으로 운영된다는 점과 선출된 대표가 아닌 시민에 의한 의사결정이라는 점에서 한계가 있으므로 대의제 실패의 경우에만 예외적으로 활용된다는 한계가 있다. (1,008자)

11. 2021학년도 숙명여대 수시 논술 (2회차)

1. <가>의 논지를 활용하여 <나>에서 '나'가 '식민지 건설자'에 대해 보인 태도를 설명하고, 이에 근거하여 <다>에 그려진 '길동'의 행위를 평가하시오. (1,000±100자)

2. <가>의 논지를 활용하여 <나> 체제의 특징을 설명하고, 이에 근거하여 <다>의 상황이 초래된 요인을 분석하시오. (1,000±100자)

1.

<가>는 타자 담론이 식민주체의 구성을 통해 제국의 식민 지배를 정당화하는 식민주의 이념의 수단임을 밝히고 있다. <가>에 따르면, 타자 담론은 공간적 차이에 기인하는 두 문화 간의 차이를 절대적 것으로 인식하고 타문화로부터 자아를 구분하는 방식으로 정체성을 구성한다. 이에 따라 식민주의는 제국의 정체성을 구성하기 위해 이질적 공간의 원주민을 비이성적 '야만인'으로 규정한다. 이처럼 식민주의는 제국 외부의 타문화를 야만적 타자로 폄하함으로써 제국의 폭력적 정복에 합법성을 부여했던 것이다.

<나>에서 '나'는 '식민지 건설자'들을 '경건한 원정에 참여한 살육자 집단'이라는 풍자적 표현을 통해 그들의 신세계 정복에 대해 비판적 태도를 드러낸다. '나'가 제시한 예화에 따르면, '황금'의 강탈을 목적으로 신세계를 정복한 그들은 원주민을 '야만인'으로 규정함으로써 자신들의 비인간적, 탐욕적 행위를 '야만인'의 교화를 위해 '하늘이 부여한 권리'에 따라 수행된 것으로 정당화한다. 이 점에서 '나'는 타문화를 야만적 타자로 폄하하여 제국의 정복을 합법화하는 식민주의를 비판한 것이라 할 수 있다.

이에 근거할 때, <다>에 그려진 길동의 행위는 '식민지 건설자'의 그것과 두 가지 유사한 특징을 보인다는 점에 주목해야 한다. 첫째, '제도'에서 사람의 형상을 한 '울동'을 죄의식

없이 '모조리' 죽이는 행위는 '울동'을 '짐승', '요괴' 즉 '야만적 타자'로 인식하였기 때문에 벌어진 것이라는 사실이다. 둘째, 길동의 율도국의 정복이 명분 없는 행위라는 점이다. 길동의 율도국 정복은 물질적 '풍요로움'에 대한 관심에서 나온 것임에도 불구하고 그는 자신의 행위를 '하늘의 이치'에 따라 '자연히 된' 일로 정당화한다. 이는 신세계 정복이 '하늘이 부여한 권리'에 따라 이루어진 것이라고 믿는 '식민지 건설자'의 신념과 유사한 특징을 갖는다. 요컨대 길동에게 조선 외부의 '제도'와 율도국은 야만적 타자의 공간으로 인식되어 그 장소의 원주민들은 제거해도 무방한 정복의 대상이 된다는 점에서 길동의 행위는 비판적으로 평가할 수 있다.

2.

<가>에 따르면, 세계화는 세계화되는 지역주의와 지역화되는 세계주의로 이루어지고, 양자의 그물망구조에 의해 주변 및 반(半)주변 국가들의 체계 순응적 세계화로 나간다. 그리하여 세계화는 중심 국가의 경제시장 및 행정의 논리가 주변국가의 체계와 생활세계를 식민화하는 과정이자 신자유주의 이데올로기와 반자유적, 반인권적, 반민주적 지배구조를 고착화하고 재생산하는 과정이라고 <가>는 주장한다.

<나>의 WTO 체계는 <가>에서 밝힌 체계 순응적 세계화에 해당하는 과정과 내용을 구현하고 있다. 첫째, WTO 체계는 세계화의 두 현상을 보여준다. 중심국가에서 발전해 온 자유 무역과 권리가 WTO 체계의 무역규범으로 채택되는 것은 지역의 법이 세계의 법이 되는 것, 즉 세계화된 지역주의를 이루는 것이다. 회원국이 그 규범을 자국의 법, 정책, 조치로 이행·준수하는 것은 세계의 법이 지역의 법으로 되는 것, 즉 지역화된 세계주의를 구현하는 것이다. 둘째, WTO 체계는 무역규범의 세계화를 통해 주변 국가의 주권을 축소하고 있다. 자국의 인권 증진을 위해 필요한 법과 정책이라도 WTO 체제로 인하여 주변 국가가 자유롭게 택할 수 없다. 셋째, WTO 체계는 신자유주의 세계화를 견지한다. WTO에서는 자유 무역 원칙이 우선하고 인권과 같은 비교역성 공공 가치를 극히 예외로 취급하여 인권이 경시되고 있다.

<다>의 상황은 신종 플루 대유행이 예상되면서 생명권과 건강권이 잠재적 위협에 직면해 있지만, 정부가 이에 대비하는 적극적인 조치를 취하지 못하고 있는 상태이다. 정부가 강제실시를 자유롭게 할 수 없는 것은 의약품을 특허권을 강하게 보호하고 강제실시를 엄격히 제한하는 WTO 무역규범이라는 세계법과 이를 지역화한 국내법이 있기 때문이다. 또한, 생명권과 건강권의 위협에 우선적으로 대응할 수 없는 것은 WTO 무역규범과 국내법이 자유 무역 원칙을 우선하고 생명권과 건강권이라는 비교역성 공공 가치를 예외적으로 다룰 뿐 아니라 그 적용 기준을 매우 엄격하게 제한하고 있기 때문이다. 그리하여 보건 위기에 대한 정부의 소극적 대처의 근저에는 기본적으로 경제시장의 논리를 중심으로 한 신자유주의의 세계화와 주변 국가 의 체제 순응적 세계화가 있다고 볼 수 있다. [1,094자]

12. 2021학년도 숙명여대 수시 논술 (3회차)

1. '기억'의 문제에 대한 <가>와 <나>의 논지를 비교하여 서술하고, 이를 바탕으로 <다>의 상황을 논하시오. (1,000±100자)

2. ⟨가⟩의 상황이 ⟨나⟩에 미치는 영향에 대해 기술하고, ⟨다⟩를 활용하여 ⟨가⟩와 ⟨나⟩가 야기하는 문제점을 개선할 방안에 대해 논하시오. (1,000±100자)

1.

　제시문 ⟨가⟩와 ⟨나⟩는 모두 '공동의 기억', '타자와의 기억 공유'의 중요성과 역사적 의미를 논한다. 이를 ⟨가⟩는 민족 정체성 형성과 같은 집단적 기억의 문제를 중심으로, ⟨나⟩는 역사로부터 배제되고 억압된 기억과 이를 타자들이 나누어 갖기 위한 '이야기하기'의 문제를 중심으로 다루고 있다.

　제시문 ⟨가⟩는 한 집단의 정체성을 이루는 것은 구성원들이 공유하고 있는 '기억된 과거'라고 말한다. 공동체가 공유하고 있는 신화, 역사, 이야기, 기념물, 지명 등이 '과거에 대한 기억'을 만들며, 이를 통하여 공동체는 자신이 누구인가 하는 정체성을 형성한다는 것이다. 정체성의 문제는 결국 우리가 무엇을 기억하고 무엇을 망각할 것인가의 문제이다. 제시문 ⟨나⟩는 '사건'이 기억되기 위해서는 어떻게든 '이야기'되어야 하고, 이를 통해 타자와 기억이 공유되어야 함을 강조한다. 그런데 이것이 쉬운 일은 아니다. 사건의 언어적 재현은 그 외부에 이야기되지 못한 채 누락된 부분을 만들기 때문이다. 또, 부당하게 억압되고 배제된 사건, 여전히 해결되지 못한 채 오늘에 이르고 있기에 말하기 어려운 사건도 존재한다. 때문에 사건 당사자를 대변하겠다는 오만을 경계하면서도 '말할 수 없는 사건'을 '이야기하는 일'의 중요성을 ⟨나⟩는 강조한다.

　제시문 ⟨다⟩는 '한국전쟁 중 빨갱이 소굴'이었다는 칠산리를 배경으로 '묘지 옮기기'를 둘러싼 '면장'과 '자식들'의 갈등을 보여준다. 면장이 앞세우는 것은 칠산리의 발전을 위한다는 개발 논리이지만, 사실 그 이면에는 '위험한 사상' '빨갱이' 등으로 표현되는 폭력의 과거, 그에 대한 기억을 지우려는 의도가 있다. ⟨가⟩와 ⟨나⟩의 관점에서 볼 때, 칠산리 주민들과 면장은 폭력으로 얼룩진 불편한 과거를 지우고 역사를 왜곡, 수정하려는 자들이다. 묘지를 없애는 일은 그 시작으로, 장소를 지움으로써 과거를 부정하고 그것을 기억하는 '자식들'의 존재를 지워 망각하려는 '기억 암살자들'과 같은 시도다. 공적 역사로부터 부당하게 배제되고 억압된 과거를 증언하고 기억하는 일은 공동체의 의무이기도 하다. 이것은 우리가 역사를 어떻게 기억할 것인가, 우리가 누구 인가의 문제이기 때문이다. [1,079자]

2.

　⟨가⟩의 구글과 같은 예측 엔진은 수용자들이 보낸 데이터 정보를 기반으로, 즉 알고리즘을 활용하여 수용자들에게 맞춤형 정보를 제공한다. 이러한 정보들은 정보의 바다에서 헤매는 수용자들에게 필터링 과정을 거쳐 내가 알고 싶어 하는 정보를 편리하게 제공해주지만, 이러한 정보는 수용자 취향과 입맛에만 맞는 편향된 정보일 수 있다. 디지털 미디어 환경은 원래부터 각 수용자가 가진 ⟨나⟩의 가용성 편향이라는 심리적 현상에 더해져 정보 편식 현상을 강화시킨다. 왜냐하면 수용자의 가용성 편향이란 각 수용자들이 손쉽게 구할 수 있고, 기억이나 경험, 생생한 정보에 의존하여 더 기억하는 인지적 특성을 가지기 때문이다. 예측엔진에서 제공하는 맞춤형 정보는 원래부터 개인이나 기업이 가진 가용성 편향을 더 강화시켜 다른 정보를 배제하고, 본인이 보고자 하는 정보, 듣고자 하는 정보에만

의존하게 함으로써 치명적 오류를 가져오게 할 수 있다.

<다>의 '악마의 변호인' 개념을 활용하여, <가>의 예측엔진 이용자들은 나와 경험과 견해가 다른 사람과 의견을 교환하려는 노력을 해야 한다. <나>의 개인은 세계를 바라볼 때에 개인경험이나 기억 등에만 의존하지 않고, 반대정보를 활용하여 균형을 추구할 필요가 있다.

<나>의 기업에서도 손쉽게 구할 수 있는 정보, 즉 편향된 정보만 의존하는 것을 경계하고, 반대의 시각에서 작성된 자료, 반대 입장의 자료를 균형적으로 활용하여 의사결정을 해야 한다. 즉 기업이 의사결정을 하는 경우 가용성 편향을 벗어나기 위해서 '악마의 변호인'제도와 같이 반대의 입장, 반대되는 정보를 의식적으로 받아들여 검토하는, 의사결정 시스템을 적극 도입할 필요가 있다.

또한 <가> 예측엔진 (플랫폼)을 운영하는 기업은 개인이 가진 취향만을 이용한 필터링이나 알고리즘 과정만을 활용하여 정보를 제공하여 이익을 취하는 방식을 벗어나 수용자들에게 객관적 정보, 다양한 관점을 가진 알고리즘을 활용하여 균형적 정보를 제공해야 한다. 정부와 같은 규제기관도 이러한 예측 엔진의 알고리즘 문제점을 파악하여 편향된 정보제공을 막는 규제도 고려할 수 있다.

13. 2021학년도 숙명여대 모의 논술

1. <가>와 <나>의 공통점과 차이점을 서술하고, <다>를 바탕으로 <가>와 <나>를 평가하시오. (1000±100자, 55점)

2. <나>와 <다>의 핵심 논지를 비교하여 서술하고, 이를 바탕으로 <가>의 상황을 설명하시오. (1,000±100자, 45점)

1.

제시문 <가>와 <나>의 공통점은 디지털 경제의 급속화는 산업 전반에 큰 영향을 미치고 있으며, 이로 인해 일어나는 고용의 변화, 현재와 미래의 산업구조 전망을 논하고 있다. 즉 디지털 경제는 산업전반에 걸쳐 인공지능, 자동화는 진행 중이며, 공장과 같이 구조화된 노동력을 빠르게 대체하고 있고 동시에 새로운 일자리도 만들어내고 있다.

그러나 <가>는 디지털 경제의 가속화가 인간의 노동을 대체하고 있는 방향으로 가고 있어서 실제 산업현장에서는 고용 인원 감소로 나타나 부정적인 영향을 드러내어 디지털 경제의 급속한 이행에서 실제 고용창출은 이어지지 아니하는 부정적인 측면을 강조하고 있다. 반면 <나>는 디지털 경제는 자기표현과 자아실현이라는 개인화된 맞춤 서비스에서 새로운 일자리가 많이 만들어질 것이라는 긍정적 고용 전망을 내놓아 입장 차이를 보이고 있다. 즉 <나>는 노동 총량이 감소하여 발생하는 잉여 인력과 잉여 시간은 결국 새로운 일자리를 만들어낼 것이라는 긍정 주장을 전개하여 <가>와 차이를 보인다.

제시문 <다>에 의하면 자동화, 디지털화 산업구조의 변화로 인해 해마다 산업고용계수는 낮아져, 기계화 자동화, 인공지능 등 영향으로 인한 고용 없는 성장이 두드러지고 있음을 알 수 있다. 미래 일자리가 증가하기보다는 중간 일자리 등 중숙련 일자리 감소가 현실화되고 있고, 고소득 고숙련 일자리와 저임금 저숙련 일자리로 양극화되는 고용 현실이 새로운 문제점으로 부상하고 있다.

<다> 관점에서, 디지털 경제, 인공지능 등 새로운 기술과 산업이 특징인 미래 산업이 새로운 일자리를 다수 만들어낼 것인가라는 전망에 대해 제시문 <가>와 <다>는 비슷한 논지를 전개하고 있다. 즉 4차 산업혁명이 일자리는 만들어내지만, 전체 일자리 총량 규모면에서 다소 부정적이라는 입장을 드러낸다. 이런 점에서 제시문 <다>는 제시문 <가>의 입장과 비슷하다고 평가할 수 있는 반면에, <나>에 나타난 고용창출에 긍정적인 주장에 대해서는 반대되는 비판적 입장을 취한다고 할 수 있다. 즉 <나> 주장대로 자기표현을 위한 개인화된 서비스, 인간의 잠재된 자기표현 욕구를 충족시킬만한 새로운 일자리는 생겨날지 모르지만, 전체적인 일자리 총량 전망을 본다면 <다>에 나타난 일자리 감소나, 대체가능성이 높은 중숙련 일자리 감소 문제와 같은 점을 고려한다면 부정적으로 보고 있다. 디지털 경제가 고용없는 성장이라는 현실적인 문제를 안고 있기에 디지털 경제나, 4차 산업혁명과 관련하여 일자리 문제를 논할 경우 일자리가 줄어드는 부정적인 측면을 반드시 같이 고려함이 필요하다.

2.

<나>와 <다>는 혐오 감정이란 무엇이며 사회적 혐오는 어떻게 형성되고 작동되는가를 설명한다. <나>는 인간이 본능적으로 갖게 되는 '원초적 대상에 대한 혐오'와 사회적으로 형성되는 '투사적 혐오'를 구별하여 설명한다. 끈적이고 냄새가 나는 배설물이나 시체와 같은 원초적 대상이 혐오감을 불러일으키는 것은 인간의 동물성과 유한성을 일깨워주기 때문이다. 그러나 이러한 혐오의 감정은 이후 이성적 검토를 거치지 않고 다른 대상에게로 확장되는데, 이것이 투사적 혐오다. 투사적 혐오는 사회 구성원 중 일부를 '오염원'으로 만들고, 원초적 대상에서 역겹다고 느꼈던 속성을 이들에게 투사한다. 그러나 이러한 투사에는 대부분 실제적 근거가 없다.

제시문 <다>는 사회적 증오에 대하여 설명한다. 사회적 증오는 자신의 것을 억압하거나 위협한다고 여겨지는 집합체를 찾아내어 타자로 범주화하고 그들을 학대하거나 제거하는 행위로 나타나는 데, 그 대상은 보통 구체적이고 개별적인 개인이라기보다는 흑인'들', 동성애자'들'과 같은 모호한 집합체이다. 이러한 증오의 감정은 개인적이거나 우발적인 것이 아니며 이데올로기에 따라 집단적으로 형성되는 것이다. 또, 그 사회의 구성원들은 자신도 모르는 사이에 이러한 혐오의 형성과 작동을 묵인하고 학습하게 된다.

<가>의 화자는 <나>와 <다>의 제시문이 주장하는 '혐오는 사회문화적으로 형성되는 것'이며 '이성적 검토 없이 투사되는 것'이라는 점을 직접 체험한다. 제 자신이 조금도 위험한 인물이 아님에도 불구하고 자신에게 '검둥이'라는 말을 내뱉고 실제로 자신을 무서워하는 사람들을 보면서, 화자는 그들의 말과 감정이 자신의 피부색에 대한 개인적이고 우발적인 반응이 아님을 깨닫는다. 그들의 공포와 혐오는 오랜 시간동안 역사와 문화를 통해 형성된 구축물이자 사회적 편견의 산물인 것이다. 때문에 화자는 자신의 검은 몸을 개인, 동족, 조상의 몸이 겹쳐져있는 세 겹의 존재라고 말한다. <다>의 화자가 처한 상황은 사회적 혐오가 실제 위험 요소와의 인과관계 없이 어떻게 비이성적으로 구성되고 확장되는가를 보여준다. 화자는 구체적 개인이 아닌 투사적 혐오의 대상 집단인 '흑인들'이라는 모호한 집합체였을 뿐이며, 그 때문에 부당한 차별과 모욕을 겪어야 했던 것이다.